TON CORPS

FAIT POUR LA VIE

AUX ÉDITIONS DU SARMENT-FAYARD

des collections au service de la Parole

*Consultez en fin de volume
la liste des ouvrages disponibles.*

DANIEL-ANGE

Ton corps fait pour la vie

(II)

Cinquième édition
revue et complétée

Collection LUMIÈRE
Série *Lumière Vérité*

Le Sarment
FAYARD

ISBN : 2-86679-0162
ISSN : 0985-8502
© Librairie Arthème Fayard, 1988

Achevé d'imprimer en juillet 1991
sur les presses de l'imprimerie Campin – Tournai (Belgique)
Nº d'édition 90113
5ᵉ édition

A mes petits frères et petites sœurs
de Jeunesse-Lumière
qui, courageusement, joyeusement, loyalement
avez vécu les exigences de notre « célibat d'amour »
préparant ainsi votre foyer de demain
ou votre consécration à vie.
A vous qui, inlassablement, avez sillonné
les routes d'Europe et déjà les pistes d'Afrique
pour transmettre le bonheur de vivre
à travers nos innombrables veillées
« Ton corps fait pour l'amour ».

Mais encore plus
à toi - qui que tu sois -
qui n'as pas eu tout ton compte d'amour
et donc de vie.
Que les blessures faites par la vie
deviennent enfin sources
par où coule la Vie !

Ce livre est la suite de : ***Ton corps fait pour l'amour.***
Les deux volumes forment un tout inséparable. Ceux qui n'auraient que celui-ci en mains, sont instamment priés de lire le précédent.

Nihil obstat
Cher Daniel-Ange,
je te donne avec joie mon « Nihil obstat » pour tes livres : *Ton corps fait pour l'amour* et *Ton corps fait pour la vie.* (Cela veut dire que tout y est conforme à la Foi de l'Eglise Catholique). Puissent-ils être le canal de la grâce par lequel le Seigneur touchera le cœur de nombreux jeunes.
Ton frère, Jean-Miguel GARRIGUES
Saint-Nizier, Lyon, le 22 mai 1988.
Fête de la Pentecôte.

Imprimatur
Je suis heureux de permettre que ce livre soit imprimé.
Cardinal Godefried DANNEELS
Malines, Bruxelles, le 24 juin 1988
Fête de la Saint Jean-Baptiste.

Daniel-Ange,

Je rends grâce au Seigneur de t'avoir appelé à écrire *Ton corps fait pour l'amour* et *Ton corps fait pour la vie* en ces temps où la sexualité, le corps, l'amour disparaissent noyés dans la chosification, les techniques, le «plaisir»... Et je ne souhaite qu'une chose, c'est que ce livre «tombe» dans les mains et touche le cœur du plus grand nombre de jeunes possible, qu'enfin ils sachent et soient sauvés de l'esclavage et de la mort!

C'est dans la joie que j'ai trouvé tout au long de ma lecture une confirmation, un appui et un plus grand éclaircissement sur ce que le Seigneur m'avait fait faire avec tendresse et miséricorde. Je n'étais plus seule dans mes espérances et mon combat, d'autres les vivent comme moi, et le Christ est si proche de moi dans son corps de chair, sujet au désir de se donner dans l'Amour!

Cette lecture a suscité en moi une relecture de tout le cheminement de mon être affectif dans lequel le Seigneur m'a conduite fidèlement, patiemment.

Que la bénédiction du Seigneur se poursuive en abondance dans tes œuvres! Fraternellement.

Nicole, 22 ans.

J'ai lu *Ton corps fait pour la vie* qui m'a vraiment passionnée. Souvent je pense à certains passages qui m'ont beaucoup marquée et qui ont bouleversé certaines idées que j'avais sur l'amour. Je sais par expérience que lorsqu'on met le nez dans le porno, on est complètement dominé par les sens. Je refuse et je hais ce péché qu'est l'impureté. Je suis persuadée que Dieu existe, mais sa Parole si simple, si belle, si pure et si profonde à nos yeux est obscure, bête, superficielle dépassée à la vue de nombreux jeunes. Cependant ils sont les premiers, comme nous sommes tous dans ce cas, à avoir envie d'aimer, d'être aimé et d'être heureux. Mais savent-ils vraiment ce que signifient ces mots ? Je m'inquiète pour eux et je les plains, car après avoir lu le livre, j'ai compris un peu de leur signification et elle est tellement différente et tellement plus magnifique que celle qu'ont beaucoup de jeunes et de personnes. C'est vraiment dommage que nous ne soyons pas tous éclairés par cette resplendissante Lumière qu'est le Seigneur : la Vie serait si belle si tous comprenaient son message...

MARTINE
18 ans

PRÉFACE

Tu veux aimer, tu as soif d'être aimé(e). Toi Nathalie, tu es attirée par Robert, Patrick, Luc, mais tu penses que tu aimes surtout Bertrand... Et toi Pierre, tu es attiré par Sylvie, Martine et Béatrice, mais tu as l'impression que tu aimes surtout Isabelle... Ne t'inquiète pas, tous ces sentiments amoureux qui t'envahissent sont normaux... Rends-toi compte ! Tu as un cœur aux dimensions du monde, car tu aimes aussi et tu pleures devant la petite Colombienne qui étouffe dans la boue, les massacres du Liban, la famine des petits d'Ethiopie... Tu as même le cœur serré devant le massacre des bébés phoques...

C'est vrai, chacun l'a expérimenté, «on ne peut pas vivre sans tendresse» ; celui qui donne reçoit plus qu'il n'a donné. Comment être ou redevenir transparent, pur comme un petit enfant qui a soif des caresses de sa maman ? N'est-ce pas ce que chacun attend de la vie, même à l'âge adulte, même au 4ème âge, au soir de sa vie !

Daniel Ange a un immense projet. Il veut donner à boire à tous les jeunes qui veulent aimer et qui n'y arrivent pas, qui échouent en chemin parce qu'ils n'ont pas préparé, balisé le «chemin de l'amour».

Lis, lisez, fais lire ce livre pour comprendre tout ce que tu ressens au plus profond de toi-même ; tu ouvriras les yeux sur le monde de l'amour humain, qui n'est qu'une parcelle de l'Amour divin.

Garçon ou fille, très tôt tu dois comprendre les rythmes biologiques que le Créateur nous a donnés. La volonté masculine est faite pour se maîtriser, pour s'adapter à la beauté du cycle féminin. La douceur féminine est capable de vaincre les plus cuirassés, celui qui se croit le plus fort. Très tôt, appréciez la beauté du corps humain, les merveilles de son fonctionnement. Que les garçons comprennent et admirent le cristal féminin, la rythmicité de la fécondité... Que les jeunes filles se connaissent bien et comprennent la grande sensibilité des garçons, les pulsions auxquelles ils sont soumis si souvent.

Apprenez très tôt la méthode écologique de connaissance de la fécondité. Aux USA, on parle de «fertilité consciente». La mentalité contraceptive de la stérilité programmée a amené beaucoup de femmes à la stérilité définitive en plus des dégats considérables pour la santé des femmes jeunes. Comme si l'on avait oublié la fécondation *in vivo*, on ne nous parle plus que de la fécondation *in vitro* en nous faisant croire que c'est une avancée de la science, alors que ce n'est que l'application à l'homme et à la femme de la science vétérinaire. En dissociant systématiquement le don de l'amour de la fécondité, en faisant croire seulement aux «d.p.j.» — désirs, plaisirs, jouir —, notre société a semé le SIDA... 3628 jeunes atteints en 1988 ; 21 000 prévus en 1989 pour la seule France.

Jeunes ou vieux, n'hésitez pas à crier aux savants que l'homme et la femme ne sont pas des bêtes, que l'art médical n'est pas l'art vétérinaire. Le corps vivant de l'homme est semblable au corps de Dieu fait homme, il est sacré. Rien, ni personne n'a de droit sur le corps humain vivant, pas même une loi élaborée par des humains [1].

Ce livre lu, passe-le, passez-le aux autres, fais, faites-le connaître comme une fleur que vous offrez à celle que vous aimez et n'oublier pas qu'en amour on progresse toujours.

Oui, ici tu apprendras qu'un amour qui ne grandit pas est en danger. Ainsi, lentement vous apprendrez plus à «donner de l'amour» qu'à «faire l'amour». C'est la seule voie pour faire disparaître le SIDA.

Alors, bonne chance.

Professeur Henri JOYEUX
Faculté de Médecine de Montpellier
Le 12 juin 1988

---

1. «Il ne faut pas avoir peur aujourd'hui de dire que la virginité est une chose bonne, qu'elle peut être maintenue, protégée, qu'elle peut grandir le garçon ou la fille qui est capable de la conserver comme un bien très précieux qu'on ne dilapide pas. Ces jeunes sont capables d'avoir avec leurs petits camarades des relations d'amitié franche, qui peuvent se dire les choses en face avec clarté. Un garçon, une fille sympa, c'est un garçon, une fille qui peuvent garder un regard clair, qui comprennent que leur corps n'est pas à donner n'importe comment, qu'il est une merveille, qu'il faut éviter de gaspiller dans des amourettes sans lendemain.» Prof. Joyeux.

Voir du prof. Joyeux, la remarquable petite collection: «Ecole de la vie et de l'amour»:
— 6-10 ans: Dis-moi, maman, comment il vient le bébé? — 10-13 ans: L'annonce de la puberté. — 13-15 ans: Sentiments, sexualité, Sida. (Ed. du Berger).

INTRODUCTION

En plein hiver une jeunesse printanière!

Ton corps, ton cœur ne sont qu'un seul cri : vivre ! Vivre ! Vivre ! D'une vie débordante, éclatante, enthousiasmante. D'une vie sans limites et sans fin. D'une vie qui soit amour. Vivre d'amour ! D'un amour de toute beauté. D'un amour de lumière. Vie + Amour = Bonheur ! Tu es fait pour !

Et qui donc t'a mis sur orbite de vie éternelle ? Ce Dieu qui est cœur. Et rien d'autre. Qui ne peut rien faire d'autre qu'aimer, et rien aimer d'autre que la vie. Personne autant que lui ne rêve pour toi d'un amour fou, d'une vie sans fin, d'un bonheur sans une ombre. N'est-il pas ta beauté ? Beauté rayonnante dans un corps.

Or, te voilà plongé dans un monde où tout cherche à pervertir l'amour, à détruire la vie. L'amour en sa maturation, la vie en son éclosion... L'amour dans sa première tendresse, la vie en son extrême faiblesse... L'amour, là où il est porteur de vie. La vie, là où elle s'entretisse avec l'amour. Là où vie et amour ensemble se reçoivent, se transmettent, s'épanouissent et s'éternisent : la famille.

De partout, elle est agressée, minée, sapée. Systématiquement, scientifiquement, socialement [1]. Comme si Satan, ne pouvant atteindre la Vie et l'Amour en leur source (le Père, le Fils et l'Esprit), se déchaînait férocement contre le lieu même où, dans notre humanité, Dieu se révèle comme étant Amour et Vie.

Et qui touche au foyer, atteint l'humanité. Le suicide de la famille, c'est le génocide d'un pays [2].

Cela s'apparente au nazisme [3].

« Quand on vous dit : un fœtus n'est pas un homme, c'est du même niveau intellectuel que la réponse d'un médecin jugé à Nuremberg : « Un prisonnier n'est pas un

---

1. Déjà le Congrès maçonnique de 1900 : « Nous voulons l'union libre. Le mariage pourra être supprimé sans inconvénient. »
Lors d'un colloque de scientifiques à Royaumont, avant la loi Weil, une dignitaire de la Franc-Maçonnerie n'hésita pas à déclarer : « Nous voulons détruire la civilisation judéo-chrétienne. Pour ce faire, nous devons détruire la famille. Pour détruire la famille, nous devons l'attaquer dans son maillon le plus faible : l'enfant qui n'est pas né encore. »
2. Voir les ravages déjà faits dans un pays comme la Suède. Annexe.
3. Le Dr Siegfrid Ernst, au 11ème congrès international de la famille (Bruxelles mars 1988) : « En 1964, 90% des médecins du Land Wurtemberg avaient mis en garde conte la pilule contraceptive. Tout ce qu'ils avaient prévu s'est effectivement révélé exact, vingt ans plus tard. *La population allemande est en train d'être tuée par des médecins* . Il ne faut pas oublier que la pilule a d'abord été mise au point en vue de diminuer la population noire des Etats-Unis. Elle relève du racisme. Il fait chaque année plus de victimes que toutes celles de la dernière guerre. » Le Dr Ernst, tout luthérien qu'il est, était allé personnellement remercier Paul VI pour *Humanae Vitae*. Cette attitude si courageuse s'éclaire du fait qu'il avait déjà dû subir les mesures disciplinaires dans l'armée nazie pour refus de participer à l'extermination des juifs. Aujourd'hui, il dénonce vigoureusement le racisme contemporain qui est sous-jacent à la propagande pour l'euthanasie, la contraception et l'avortement. Est-ce parce que l'avortement n'est pas légalisé en Belgique, qu'il y a dans la jeunesse belge encore un tel amour et sens de la vie ?

homme ! » C'est une régression de l'intelligence délibérément obscurcie. Jamais les vétérinaires ne parlent de la bovinisation d'un fœtus de vache.

Une civilisation qui ne respecte pas ses propres enfants n'a aucune chance de respecter la vie de ses adversaires. A-t-on le droit de couper en petits morceaux un condamné à mort pour le meilleur service de la santé des non-condamnés ? » [4].

LA TOUTE PREMIÈRE JUSTICE SOCIALE

Plus insidieusement, ce sont les simples conditions économiques et sociales de nos pays occidentaux qui contribuent à cette lente asphyxie de la vie familiale [5].

Que de perturbations psychologiques et affectives sont simplement dues au fait que tant de femmes sont économiquement dans l'impossibilité de rester au foyer pour élever leurs enfants ou soigner leurs malades.

Une femme n'a pas le libre choix d'une vie active au foyer, cette situation étant fortement pénalisée par rapport à la vie active professionnelle. On en arrive à des situations paradoxales ne fut-ce qu'au seul plan de l'économie nationale, véritables injustices sociales [6]. Est-ce

---

4. Professeur Lejeune (biologiste, ayant découvert les causes de la Trisomie 21). Dans *France-Catholique* du 8 mars 1985.

5. En France, il est fiscalement plus intéressant d'avoir des enfants sans être mariés. De nombreux jeunes co-habitent ainsi pour des seules raisons financières.

6. Telle enseignante arrête son travail pour élever ses trois enfants, et soigner son mari atteint d'un cancer. Devenue veuve, n'ayant plus de quoi vivre, elle ne peut retrouver une situation, car elle n'est pas classée «chômeuse». Alors même qu'elle a évité à l'Etat, tous les frais

vraiment sécurisant pour un enfant d'être mis à la crèche, pour un malade qui pourrait être soigné chez lui, par
les siens, d'être hospitalisé, pour une mère devant travailler professionnellement d'envoyer à la crèche son
enfant malade ? Que de situations insécurisantes pourraient être évitées par une politique familiale plus équilibrée ! [7]

Mais surtout, que de blessures laissées par ces drames
familiaux ! Je n'en peux plus d'écouter ces enfants, ces
jeunes, au cœur profondément meurtri. Que de larmes !
Que de cris ! Et parfois plus d'autre cris possible que la
violence ! On demeure atterré par les proportions que
prend la destruction de la famille. Quel milieu est encore
protégé ? Quelle famille encore indemne de ce naufrage
généralisé ? Quand je parle dans une classe, je sais
qu'une bonne moitié, si ce n'est la majorité, ont des

---

de ses enfants à la crèche, et de son mari à l'hôpital, tout en ne recevant
aucune indemnité de chômage ! Et la voilà pénalisée.

Josette, pendant huit ans se consacre à soigner sa mère et élever ses
petits frères. A 25 ans, sa mère étant décédée, ses frères pouvant se
passer d'elle, elle ne peut même pas suivre une formation gratuite pour
trouver du travail : elle n'est pas classée « chômeuse » ! En un mot,
notre société pénalise les femmes qui élèvent leurs enfants, les soignent
s'ils sont malades, prennent soin des handicapés et des personnes
âgées, alors même qu'elles font faire des économies fantastiques à la
Sécurité Sociale. Et que de chômage en moins, si les femmes qui le
désirent pouvaient rester au foyer ! Il existe une « Association des
Femmes au Foyer », pour défendre leurs droits (AFF. 509 avenue
Henri 1200 BRUXELLES).

7. Malgré les énormes avantages financiers en Belgique, 86,7% des
enfants de moins de trois ans sont élevés par des femmes au foyer,
femmes dont l'Etat refuse de tenir compte dans la répartition de ses
avantages sociaux, alors qu'elles lui font faire l'économie de plus de
112 milliards de francs belges par an (budget qu'il faudrait pour placer
ces 345 066 enfants en crèche).

familles brisées, ou simplement mono-parentales. Comme à Beyrouth, où pas un enfant n'a une famille sans victime de guerre ! On ne peut plus se taire ! On ne peut plus rester sans rien faire !

Et que faire ? Eh bien ! simplement *restituer l'amour à la vie. Rendre la vie à l'amour.* C'est-à-dire reconstruire les familles d'aujourd'hui. Préparer celles de demain.

Ces deux petits livres voudraient, humblement, pauvrement, y contribuer. Dans le premier, nous avons donné des pistes pour guérir des blessures faites par tant de perversions de l'amour. Comment rendre à un amour défiguré son visage de splendeur. Dans celui-ci, voir où tend l'amour : à l'éclosion de la vie.

C'est la première des urgences *sociales*. Une explosion de violence ne pourra être évitée que par la construction de familles saines, heureuses, épanouies... Nous savons tous que 90% des délinquants viennent de familles brisées. Et que la violence est le seul cri pour exprimer leur désespérance. Assurer à nos enfants de demain des familles qui soient oasis de paix : pas d'autre prophylaxie à un séisme de violence qui déjà gronde au loin.

Assurer à nos enfants d'aujourd'hui des familles, dont la seule communion soit guérison de leur cœur blessé : pas d'autre prophylaxie à l'épidémie d'auto-mortalité ; dans une famille unie, et joyeuse, les suicides sont rarissimes.

Dans l'immense naufrage contemporain, il nous faut, comme pour les boat-people du Sud-Èst asiatique, des

« îles-lumière », qui les recueillent, et les conduisent à une terre d'asile, et soient déjà pour eux cette terre.

Mais comment refaire ou créer ces familles rayonnantes ? Simplement en mettant Dieu en plein cœur de la famille. Il est vain de colmater éperdument les brèches dans la barque. De partout, elle fait eau. Des poubelles se déversent jusque dans l'intimité familiale. On ne peut plus être sur la brèche, 24 heures sur 24, pour lutter contre les émissions pornos, minitels roses, pub érotique, drogue et prostitution...

BIOLOGIQUEMENT, L'AVENIR EST AUX CROYANTS !

Il faut moins pourfendre à l'« extérieur », que se défendre de l'intérieur. Moins réformer que se former. Moins se forger une *armure extérieure* qu'une *structure intérieure*. Passer de la carapace à la colonne vertébrale.

Aller droit à l'essentiel. Et l'essentiel : c'est Quelqu'un qui vient du Ciel, et nous y conduit, en nous ouvrant le ciel dès ici-bas. C'est laisser Jésus s'inviter chez nous, comme il l'a fait pour le petit Zachée, grimpé sur un platane pour le voir et qui s'entend héler : « Toi, Maurice, Philippe, Alain, Yves, Thierry, je dois descendre chez toi ; ce soir même. Je veux voir toute ta famille, pas toi tout seul. » Et voilà toute la famille sauvée par le Sauveur de l'Amour.

Que l'on laisse libre cours à la prodigieuse imagination de l'Esprit pour trouver comment vivre au maximum cette grâce prodigieuse de la famille. Surtout, qu'on le laisse prier en nous.

Un récent sondage du Bureau Fédéral des Statistiques aux USA a montré que sur 1250 familles qui priaient, un seule divorce. « Une famille qui prie ensemble, reste ensemble (Mère Térésa)

Une famille qui prie, est une famille unie. Une famille unie est une famille heureuse. La prière a un formidable *impact social*. Une incalculable *incidence démographique*. Le professeur Jérôme Lejeune me confiait récemment ce constat saisissant : « *L'avenir biologique de l'humanité est maintenant réservé aux croyants*. Jusqu'à présent, la sélection des enfants était *naturelle*. Maintenant elle est *spirituelle*. Seuls ont des enfants ceux qui en font le libre choix. Or, je ne connais pas une seule famille de plus de trois enfants, qui ne soit pas croyante ! » Et j'ajoute : je ne connais presque plus un seul jeune qui se garde pur en vue du mariage, et qui ne soit pas croyant ! Démographiquement, les croyants tiennent l'avenir du monde ! Ils sont notre avenir !

Tout cela, les jeunes de la génération montante le savent, ou déjà le pressentent. D'où le succès fantastique des différents congrès nationaux ou internationaux de la famille, où affluent beaucoup de jeunes couples. Lors des vastes congrès de jeunes, les appels à la beauté de l'amour, à la pureté, à la fidélité sont interminablement ovationnés. Une vérité du cœur est rejointe en profondeur. Partout, se manifeste une *nostalgie de la famille*, impossible à réprimer. On a beau tout faire pour l'étouffer, elle ressurgit irrésistiblement. Tel un ruisseau longtemps souterrain qui brusquement se met à jaillir en source neuve. Quelques sourciers suffisent à les détecter, et voilà le désert qui se met à fleurir. La sève neuve monte. Les écorces craquent. Le printemps est aux portes.

Bruxelles, le 19 mars 1988.
Fête de saint **Joseph**,
jeune fiancé de la Mère de Dieu.

P.S. Au moment de mettre ce point final, j'apprends que mon Papa tant aimé est parti ce matin «prendre son petit déjeuner» avec Dieu, sur «l'autre rive» de la vie (voir St Jean, chap. 21). Il a rejoint Maman. Désormais, mes racines sont au Ciel. S'ils ne m'avaient pas tant aimé, je ne serais pas aujourd'hui un passionné de la vie familiale.

Au seuil de ces pages, je veux dire tout ce que je dois à ceux qui m'ont donné la vie et m'ont transmis ce qu'ils avaient de plus précieux au monde, et qui illumine du dedans et la vie et l'amour : la prière. Papa était passionné par l'évangélisation des jeunes. Je lui confie les lecteurs de ces pages. Qu'il parle d'eux au Seigneur. Son dernier chant avant de nous quitter : «Jérusalem ! Jérusalem ! Quitte ta robe de tristesse ! Chante et danse pour ton Dieu !» Et son dernier mot : «Beauté de Dieu... Beauté de Dieu...»

Rejoignant ce mot de feu d'un enfant : « *La souffrance s'écrasera contre la beauté* !»

P.S. (Quatrième édition) Depuis deux ans, je suis stupéfait par le bond en avant de la cote de la famille chez les jeunes, en peloton de tête, dans le hit-parade des valeurs. Les Congrès de la Famille, internationaux (Bruxelles, Vienne, Belgrade) ou régionaux (Strasbourg, Fribourg, Lille) attirent de plus en plus de jeunes. A Belgrade, une heure entière a été télévisée sur chaîne nationale. Et le corps du Christ était adoré dans une salle de l'Université d'Etat. Partout à l'Est, une jeunesse assoiffée de Dieu attend une nourriture solide : la vérité et toute la vérité.

Janvier 1990 (Saint Jean Bosco),
Anniversaire de la mort de Gandhi.

I

OUI À LA VIE = OUI POUR LA VIE

« Donner sa vie pour ses amis :
pas d'amour plus grand ! »
Jean, **15**

« Ne confondez pas l'expérience prématurée
de la jouissance
avec le don de soi dans l'amour,
lucidement consenti pour toujours.
Préparez-vous au seul engagement
digne de l'amour,
pour bâtir une œuvre à la dimension
de toute une vie. »
Jean-Paul II,
Montréal, septembre 1983.

1.

SE FIANCER = S'ACCORDER

Ce mot n'est pas fané. Il retrouve la fraîcheur des choses neuves, simplement parce que ta génération ne l'a pratiquement jamais connu. Il est en passe de devenir en plein vent. Fiancés et ermites : deux races en voie de réapparition.

De partout, on les voit surgir ces garçons et ces filles qui n'hésitent pas à se donner un temps fort pour laisser mûrir leur amour, l'approfondir, l'enraciner dans la vérité, l'éclairer dans la lucidité, dans la réciprocité.

Dans la vie religieuse, avant de s'engager, on passe par un noviciat, pour mieux connaître la vie à laquelle on pense être appelé. Pour discerner, de part et d'autre (le novice et la communauté), si telle est bien la volonté du Seigneur.

Le mariage ne s'improvise pas ! C'est une chose si grande qu'il doit être préparé par un long chemin ensemble. Déjà nous avons vu comment vivre cet *apprentissage d'un langage*. Et comment *s'aimer = s'apprivoiser* (tome I, dernier chapitre). Maintenant un pas nouveau peut être franchi.

L'amour est déjà né, déjà mutuel, déjà exclusif. On a déjà cheminé ensemble. On pense déjà sérieusement au mariage. Mais on veut le préparer, se préparer [1].

Fiançailles : temps béni où s'éprouve la *con-fiance* : où l'on apprend à se fier l'un à l'autre, à prouver à l'autre et à soi-même qu'on est fiable. En néerlandais : *« verlo-ving »* vient des deux verbes : *croire* et *louer* ! Croire en l'un l'autre et parce qu'il/elle est, louer le Seigneur !

S'ÉQUIPER POUR L'ÉTERNITÉ. S'AJUSTER POUR DURER

On se connaît, mais encore si peu ! Si mal ! S'engager pour la vie, c'est d'une telle gravité ! Comment le faire à la légère ? Alors vient le temps, non de s'apprivoiser - c'est déjà fait- mais de *s'ajuster* avec plus de précision. S'ajuster en miniaturisant l'amour. Deux pièces d'un même engrenage ne doivent-elles pas s'ajuster au milli-mètre près ? (Et on ne mélange pas une pièce Citroën et une Renault.)

---

1. Aime lire dans la Bible, ces récits de rencontres amoureuses, préludant au mariage. Par exemple, comment la jeune Rebecca trouve son époux. D'abord par l'intermédiaire d'un envoyé : « Près du puits, à l'heure du soir, elle sort, la cruche sur l'épaule. La jeune fille est très belle, aucun homme ne l'a approchée... Le serviteur court au-devant d'elle : « S'il te plaît, laisse-moi boire un peu d'eau de ta cruche ! »... Puis l'envoyé la conduit jusqu'à son maître. Isaac sort se promener dans la campagne à la tombée du soir. Rebecca lève les yeux, elle le voit. Elle saute à bas du chameau. Elle prend son voile et se couvre. Isaac l'introduit dans sa tente et se met à l'aimer... »(Genèse, **24**.)

Ou alors ce besoin d'être protégée, si délicatement chanté au livre de Ruth : « Booz dort dans le champ d'orge. Ruth doucement dégage une place à ses pieds. En pleine nuit il frissonne : il se retourne. Voici une femme couchée à ses pieds. -Qui donc es-tu ? -Je suis Ruth, étends sur ta servante le pan de ton manteau, couvre-moi de tes ailes ! » (**3**,6)

Se connaître : tout un travail ! Connaître son tempéra-
ment, caractère. Te familiariser avec ses goûts, désirs,
habitudes. Pressentir atavisme, héridité. Sympathiser
avec sa famille. T'initier à son milieu de vie, de travail.
Apprendre son langage. Décoder ses signes de piste.
Tout cela se ferait-il en un jour ? Tant d'échanges, de
partages, de discussions parfois, de com-préhension toujours, y sont nécessaires !

Tant de questions à envisager, prévoir, régler ensemble : par quels moyens maîtriser la fécondité sans ternir
l'amour ? Combien d'enfants, quelle éducation leur donner ? Quelle attitude vis-à-vis des familles ? Selon quels
principes gérer un budget ? Et tant de choses qu'il est
tellement plus facile de voir avant qu'après. Avant de les
incarner dans la pratique et le quotidien. Projeter sur ces
problèmes un éclairage des profondeurs pendant qu'on a
encore du recul.

Prendre alors les options qui commanderont, plus
tard, bien des décisions concrètes. La qualité des échanges durant ce temps peut être déterminante pour toute la
vie !

Temps *contemplatif*, où l'on apprend à se regarder
dans une sorte de gratuité, mais aussi dans une grande
transparence, dans une vérité sans failles.

Temps de *discernement prophétique* l'un sur l'autre,
pour reconnaître les charismes et les aspirations de chacun. Temps où l'on commence déjà ce passage de relations multiples à une relation privilégiée, qui tend à
prendre toute la vie. Apparent *retrécissement relationnel*,
mais pour un *enrichissement mutuel*. Ce qui est perdu en
surface, est gagné en profondeur. Ici aussi, l'aide d'un
témoin, d'un accompagnateur qui porte un «regard d'al-
titude» peut être de grand prix.

Pourquoi ne pas faire, durant ce temps, une vraie retraite, soit ensemble, soit chacun de son côté ? (L'idéal c'est les deux.) Je connais certains fiancés qui ont carément fait, chacun de son côté, un temps fort de la vie monastique. Ou bien l'un dans une école d'évangélisation, l'autre dans un foyer d'handicapés, cela pendant un an de mutuelle maturation, ne se voyant qu'aux vacances. «C'était raide, mais béni», disent-ils au terme de cette expérience. Sans doute de tels cas sont-ils exceptionnels. Mais l'essentiel de ce qu'ils ont vécu, peut l'être autrement, de manière tout aussi exigeante.

> Donc «finies les fiançailles fleur bleue, à l'eau de rose, peuplées de mièvres galanteries et de courbettes gracieuses : les fiancés qui ancrent ce temps dans la transparence et la vérité s'arment aujourd'hui pour l'éternité. »

Ainsi parlent deux jeunes fiancés après... quatre ans de fiançailles, dans la fidélité à un principe de départ : ne pas avoir de rapports physiques pendant ce temps.

ÉTREINDRE SON PASSÉ, EMBRASSER SON AVENIR, POUR RECEVOIR SON PRÉSENT

Parce qu'elle implique l'âme même du partenaire, autant que la tienne, la relation sexuelle -à moins d'être mutilée- implique d'abord l'engagement de deux *existences*. Deux existences qui s'entretissent, se mêlent l'une à l'autre. Si elle investit toute la personne, c'est donc toute ta vie qui est en jeu, ton passé, ton avenir. Il faut découvrir l'autre dans sa *durée* même parce que cela fait partie de sa *personne*. Une personne ce n'est pas un point ponctuel, parachuté dans cet instant, isolé du reste de sa vie [2] . C'est toute une histoire, tout un itinéraire, dont je tiens à me faire solidaire.

Je l'aime telle qu'elle est *aujourd'hui*, c'est-à-dire telle que son *passé*, telle que la vie, l'a faite. C'est pourquoi je veux tout connaître d'elle, tout savoir d'elle. Chaque détail de sa vie m'intéresse, me passionne… J'irai même revoir les lieux de son enfance, là où elle est passée…

Pour accueillir son *présent* comme un *présent* de Dieu, je l'aime inséparablement en son *passé*, mais aussi en son avenir. Mais c'est un tel mystère que nous y reviendrons.

LE RENONCEMENT EST À L'AMOUR
CE QUE LES FONDATIONS SONT À LA MAISON

Il y aura des moments creux, des passes difficiles. On aura envie de rompre, de recommencer avec une autre, avec qui ce sera plus facile. Et dans ces moments-là, il est tellement plus facile de se pelotonner dans les bras l'un de l'autre ! De se contenter de caresses, si ce n'est de coucher ensemble. Cela évite le laborieux travail d'ajustement mutuel, mais en donnant le change. L'ajustement sexuel donnera l'impression de l'harmonie des cœurs : mais ce ne pourra être qu'illusion. On se mariera comme cela, ayant fait l'économie du laborieux travail de con-

---

2. «Découvrir l'autre comme une personne, c'est le découvrir dans sa *durée*, et pas seulement dans l'instant érotique et le jeu de la séduction. C'est l'assumer dans son passé, douloureusement peut-être, mais dans un respect qui interdit la jalousie, c'est écouter le récit de son enfance, l'aveu de son errance. Comprendre l'autre dans sa durée, c'est aussi devenir *patient*, alors que la passion fusionnelle ou «l'échange de deux fantaisies et le contact de deux épidermes» sont nécessairement impatients.» Olivier Clément.

naissance mutuelle. Et alors quand viendra un nouveau creux de vague et qu'aura disparu l'envoûtement des premiers rapports physiques, alors tout risque de craquer.

La maison aura été construite sur du sable. On ne fait pas impunément l'économie des fondations... de bases solides et constructives, pierres angulaires du mariage de demain [3]. Ils pourraient en témoigner ces jeunes fiancés non-chrétiens rencontrés l'autre jour, sentant eux-mêmes la nécessité de cesser leurs relations sexuelles jusqu'au mariage, pour qu'ils puissent s'enraciner dans ce renoncement [4].

> « Le plus grand don -supérieur à l'argent, à la dot- que vous puissiez vous faire l'un à l'autre, c'est celui d'un cœur net, d'un corps vierge. C'est tellement beau ! Si vous perdez la chasteté, le mal commence à entrer dans vos vies. Un *cœur pur* est *un cœur joyeux, un cœur libre*. »
> Mère Teresa de Calcutta

En attaquant avec une agressivité aussi violente la pureté des filles, Satan cherche désespérément à atteindre celle de la Vierge Marie, à jamais hors de sa portée.

---

3. Beaucoup de mariés ayant vécu de véritables fiançailles en parlent en soulignant la difficulté mais avant tout la très grande richesse ; de même beaucoup de couples, n'ayant pas vécu de temps assez longs d'approfondissement et d'apprivoisement, avouent avoir vécu des premières années de mariage difficiles et éprouvantes.

4. Récemment à Milan, j'entendais témoigner deux fiancés. Silvano : « Nous vivons comme frère et sœur. Anna-Maria appartient à Dieu avant de m'appartenir. Moi, j'appartiens à Dieu avant de lui appartenir. Nous cherchons à vivre nos fiançailles dans la prière. *Notre expérience, c'est le Seigneur avant tout, et pour le reste, c'est lui qui y pense*. »

S'ACCORDER DANS LA TENDRESSE
AVANT DE S'INCORPORER DANS LA JUSTESSE

Tout amour est chant : poésie, symphonie.

« L'union des corps est pour le cœur ce que l'instrument de musique est pour la symphonie, ce que le bois est pour le feu [5]. » Encore faut-il qu'il y ait du feu qui brûle, une symphonie à jouer. Une symphonie, ça se compose, ça s'annote, et cela ne se fait pas en un jour. Avant que deux instruments ne se lancent dans un concert, ils prennent le temps de s'accorder l'un à l'autre. De se mettre au même diapason. Pour éviter toute note discordante, tout dés-accord. Alors seulement on se lance dans l'orchestre.

S'accorder dans la tendresse, avant de -et pour pouvoir- *s'incorporer avec justesse* [6].

Et puis « l'amour n'a-t-il pas d'autres claviers que le seul sexe » pour chanter l'oratorio de la tendresse ? S'épancher, se confier dans une intimité d'âme, trouver mille délicatesses, mille attentions, s'écouter, se regarder, partager longuement tout ce qu'on a sur le cœur : autant de manières de déjà jouer sa symphonie. Et l'union des corps viendra sceller la comm-union des cœurs. La con-certation deviendra concert [7].

---

5. Stan Rougier, *Aime et tu vivras*. p. 129.

6. Un séminariste ne dit pas la messe avant son ordination : il en brûle d'impatience, mais il sait attendre. Il sait que cela n'aura aucun sens tant qu'il n'aura pas reçu et la grâce et le pouvoir.

7. J'ai connu des fiancés, au Québec, qui ont vécu une bouleversante expérience. Très peu de temps avant le mariage, elle a eu un accident lui interdisant à tout jamais des relations sexuelles. Et lui, loin de la plaquer, l'a tout de même épousée, sachant à quel renoncement il s'engageait, et cela une vie durant ! De l'amour à l'état pur !

« Nous nous connaissons depuis 2-3 mois. J'ai prié depuis longtemps pour lui, pour le rencontrer et je le sens comme un cadeau de Dieu. Il dit souvent : « Commençons petit pour terminer tout grand. » Comment jour après jour, week-end après week-end, faire cette évolution ? Chacun à sa vitesse. Comment trouver notre rythme de musique pour en faire un beau chant et pour les autres et pour Dieu ?

                                                        Pascale, 22 ans.

LIBRE COURS À LA CRÉATIVITÉ DU COEUR

C'est bien lorsqu'on renonce jusque-là, à se dire génitalement son amour que le cœur est obligé de se faire *inventif* pour l'exprimer par d'autres signes. Que de trouvailles est-il alors capable d'imaginer ! La relation sexuelle court-circuite cette prodigieuse *créativité du cœur*, car tout semble dit et d'un coup. Plus rien à inventer, imaginer, trouver !

Dans un rapport simplement physique on reste deux. Alors que, dans le consentement mutuel à ne pas « faire l'amour », par pur amour du Seigneur, par pur respect de l'autre, on peut n'être déjà qu'un. Une extraordinaire communion y est déjà donnée. Il se crée des connivences, des complicités secrètes : on se retrouve dans l'effort, le combat que vit chacun pour se vaincre, se maîtriser. C'est à qui tiendra le coup. C'est à qui arrêtera l'autre, quand il voudra passer au feu rouge, griller les étapes. On s'épaule, on se corrige, on s'exhorte l'un l'autre. Merveilleux jeu de vérité, qui ne fait qu'intensifier l'amour, souder les cœurs, bien plus fortement que ne le ferait une relation sexuelle anticipée. Et que chacun trouve jusqu'où il peut aller dans les gestes physiques de tendresse, sans compromettre pour autant la lumineuse chasteté !

Chaque fois que vous vous retrouvez, prenez un bon moment à prier ensemble. Tout le reste pourra alors être vécu dans la lumière.

Ces temps de pause-regard, ensemble, avec le Seigneur : autant de panneaux indicateurs sur notre route ; sans eux on risque de déraper. C'est là que vous puiserez la force de tenir dans la chasteté, ainsi que la grâce de vous pardonner. Se pardonner indélicatesses réciproques, maladresses, inévitables incompréhensions : comme cela donne une autre dimension aux fiançailles !

> « Quand par-delà la camaraderie et l'amitié, l'homme en amour perce l'intimité de la femme, il est ravi. Il voit des yeux qui l'admirent, des lèvres qui l'invitent, des seins qui le captivent, des hanches qui l'hypnotisent et qui entourent un jardin de délices. Il s'écrie, comme Adam, dans un tremblement de joie : « Voilà la chair de ma chair, l'os de mes os. » Tout son être frémit du désir d'enlacer et de s'adjoindre le corps, le cœur et l'esprit de la femme. N'est-ce pas ainsi que cela s'est passé ? Quelle épouse ne se souvient des services de son chevalier ardent et de l'ardeur de son chevalier servant ?
>
> Quand, de son côté, la femme perçoit qu'elle est découverte, quand elle lit la joie dans le regard de son homme, (…), elle désire baigner dans son attention, être entourée de sa présence et finalement être remplie de lui. Comme Eve, la femme devient belle et se tait. Elle se tait pour permettre à son homme de lui chanter les louanges de la bien-aimée. L'époux se souvient de l'attention et de l'importance que lui prêtait sa princesse. Elle se faisait belle… pour lui.
>
> L'homme, avide de sa fiancée, brûle d'envie de ravir sa

chair avant même d'en faire partie. Il souhaite la posséder sans songer à se donner. Et il éprouve une souffrance aiguë de se priver des joies d'aimer avant d'avoir su faire le don de son amour. Souffrance tellement plus puissante qu'une culture profane la considère insupportable et lui préfère la profanation de la personne aimée.

De son côté, la femme est avide de plaire à celui qui monte à son assaut et craintive de perdre son attention. Aussi éprouve-t-elle l'envie de divorcer en elle la généʹ rosité de vie qu'elle lui offre, de l'accueil qu'elle lui fait. Elle serait prête, ou presque, à se couper en deux pour qu'au moins la moitié d'elle-même soit appréciée, oubliant qu'un cœur qui n'est pas entier n'est pas du tout. Obsession tellement envahissante, qu'une culture profane promeut le mépris *du rythme d'aimer de la femme qui est le mépris de l'amour au féminin.* » [8]

CET ÉTRANGE FIANCÉ

Il était amoureux de la plus belle fille qui ait jamais existé. La beauté même. La lumière même. Mais voici : Dieu intervient. Pour se la réserver. Il ne comprend pas. Il veut la laisser faire son chemin seule, puisqu'elle n'est pas pour lui. Mais voici : Dieu lui demande de rester avec elle, de veiller sur ce qui se passe en elle, sans qu'il sache comment. Et voici qu'il l'accueille une seconde fois, mais en respectant le mystère qu'elle porte en elle, et qui les dépasse tous les deux, totalement. Un amour nouveau naît entre eux. Une complicité pour servir ensemble cet enfant qui leur est confié. Et qui est Dieu lui-même : Jésus. Ils n'ont aucune relation sexuelle mais jamais

---

8. Georges Allaire, *France Catholique,* n° 2131.

peut-être un amour si intense, si profond n'a été vécu entre deux jeunes gens. Ils sont en même temps le premier couple chrétien, et les premiers consacrés dans le célibat à cause du Royaume.

Comme elle a dû être dure à certains moments sa chasteté ! Il n'a pas flanché. Elle a dû tendrement l'aider.

Tu l'as reconnu : *Joseph de Nazareth*. Un bon saint pour t'aider dans les passes difficiles.

OÙ DIEU, DOUCEMENT, APPRIVOISE L'HOMME

Sais-tu que l'Église a prévu une liturgie -une prière publique- spéciale pour fêter les fiançailles ? Toute belle et simple. Elle implore sur ce temps, difficile à vivre, mais plein de grâces, toute la force et la joie de l'Esprit-Saint. Lui qui est le Maître en amour par excellence. Demandez à un prêtre de vous célébrer cette grande prière d'Eglise. Vous en verrez les fruits.

Des fiançailles ! N'est-ce pas ce que Dieu lui-même a voulu vivre avec son peuple si tendrement aimé ? Pendant ces longs siècles précédant ce véritable mariage qu'a été l'union de Dieu et de l'humanité dans la chair et le sang de Jésus, Dieu a pris son temps pour se faire reconnaître de son peuple. Plutôt que de risquer un échec, en y allant trop vite, il fallait des générations et des générations pour préparer les siens à le reconnaître, à l'accueillir quand il viendrait lui-même en chair et en os. Ce que l'on appelle l'Ancien Testament, ou plutôt la première Alliance, n'est pas autre chose que ce long temps où Dieu doucement apprivoise l'homme.

Pour vivre des fiançailles-lumière, aimez relire ensemble le Cantique des cantiques, ce chant passionné où vibre toute la folle tendresse de Dieu pour son peuple. Il n'a pas trouvé de plus fortes comparaisons pour chanter sa manière d'être avec nous que ce duo symphonique, entre deux amoureux.

> « Je parlerai à ton cœur.
> Tu répondras comme aux jours de ta jeunesse.
> Dans la tendresse et la fidélité,
> tu seras ma fiancée !
> Fiancée à moi pour toujours ! »
>
> Prophète Osée, 2, 16-21.

> « Comme la fiancée fait toute la joie de son fiancé
> ainsi seras-tu toute la joie de ton Dieu. »
>
> Isaïe, 61.

Mais, quand enfin paraît l'Epoux annoncé, désiré, attendu, quand enfin il est là, en chair et en os, alors nous voyons, nous palpons, nous testons comment se vit l'amour, tout amour.

LA JOIE SECRÈTE DE L'AVENT

L'absence joue un rôle extraordinaire dans la croissance de l'amour entre le fiancé et sa fiancée. « Où est-il celui que mon cœur aime ? » C'est ce jeu d'absence et de présence qui éduque l'amour et le rend adulte.

Tel est donc ce temps de l'Avent, d'avant le mariage. Ne plus goûter l'attente, c'est ne plus savourer l'espérance. La vraie connaissance implique une certaine distance. Distance qui intensifie le désir [9]. Désir qui fait mûrir. Mettre la main immédiatement sur l'objet de son désir, n'est-ce pas le perdre ?

Comment l'enfant peut-il se réjouir d'avance, si on lui donne immédiatement, un mois trop tôt, son cadeau de Noël ? Comment l'appréciera-t-il s'il ne l'a pas attendu, désiré ? Qui dira la fécondité de l'attente ? la joie du désir ? la beauté de l'espérance ?

Deux fiancés, au terme de quatre ans de fiançailles :

> « Nous sommes souvent déçus par les discours sur le mariage, même des personnes d'Église ; il apparaît comme une vérité théologique assez évaporée, mais en tout cas nullement incarnée.
>
> Pour nous, notre vie donnée au Christ n'est pas un état, si important soit-il, inscrit parmi d'autres états dans un couple : pour nous, donnés au Christ, Dieu nous dit que notre vocation est dans le mariage. **Notre vie donnée au Christ est première et fondamentale**. Et Dieu nous demande de vivre cet engagement dans le sacrement du mariage. Du coup, cela change tout dans notre vie, déjà aujourd'hui dans nos fiançailles comme une entrée en noviciat, et notre futur mariage sera, pour nous, apparenté à un engagement monastique. Nous professons que, pour nous, cela est **une réalité quotidienne**. »
>
> Alex et Maud

---

9. « Le respect *éloigne* et *rapproche* tout à la fois de son objet : *éloigne* de toutes les distances que l'on tient à reconnaître. *Rapproche* du meilleur et du plus haut et du plus rare de nos âmes, par une *assimilation secrète*, mais réelle. Qui ne sait pas respecter, ne saura jamais se sacrifier. *Le trait de génie* est un *éclair d'amour* dans le respect. » (Wladimir Ghika, martyrisé à Bucarest en 1954.)

2

CE MARIAGE OÙ DIEU S'ENGAGE

LE PLUS GRAND : « OUI À LA VIE », C'EST : « OUI POUR LA VIE »

Trompeurs, tous ces slogans qui martèlent notre conscience : « Le jour où tu te maries, c'en est bien fini, au mieux tu t'en tires pour trente berges ! » Ou encore : « Un amour marié, c'est un amour bâclé ! » On croit entendre un détenu écoutant son verdict !

Pas de plus grand : « *Oui à la vie* » qu'un : « *Oui pour la vie.* »

Pas de plus grand cri d'espérance que de promettre : « Pour le meilleur et pour le pire » en toute confiance. « Je m'en sens incapable, je n'en ai pas la preuve, tout ça c'est de la foutaise. » Mais ne t'en fais pas, si tu mets Dieu dans le coup, tu n'es pas prêt de te planter. Pour toi, il a un amour fou !

Le mariage : ni convention sociale, ni habitude familiale, ni rite ecclésial, mais un besoin inhérent à l'âme même. Si tu aimes vraiment, mais vraiment, tu veux te donner pour toujours, toujours, toujours...

Si l'amour ne rime plus avec *toujours*, est-ce de *l'amour* ? Il finit par te jouer un sale tour.

Un cadeau qu'on peut reprendre quand on veut, est-ce un cadeau ? Que vaut un don qui calcule déjà la reprise ?

Donner tout ce que tu as, tout ce que tu es. Et non de manière transitoire, passagère, fugitive, ponctuelle, conditionnelle, juste en passant, par hasard... Mais de manière irrévocable, inaliénable, une fois pour toutes, bref : *éternelle*...

Bien sûr, pas évident ! Pas gagné d'avance ! Que serait une vie sans imprévisible, sans surprise ? Réglée d'avance, prévue, préprogrammée ?

Serait-elle passionnante ? Une aventure sans risques, t'as déjà vu ça ? Le mariage : un saut dans le vide. Audacieux, courageux. Celui du parachutiste, du skieur-sauteur.

Un amour qui s'entoure de toutes les assurances, toutes les garanties, est-ce encore de l'amour ? Christophe Colomb aurait-il découvert l'Amérique s'il n'avait pris le large ? Erwin aurait-il marché sur la lune s'il ne s'était embarqué dans sa fusée ?

Exaltant ! Risquer ma vie, quand l'amour devient ma vie : rien de plus ! Mais en fait, le vide n'existe pas : les douces mains de Dieu sont toujours là ! Dans ces mains-là tu t'abandonnes, quand, à celui que tu aimes, tu te donnes.

Non, pas un mirage, le mariage : Dieu s'y engage.

Pas un virage où déraper : un visage où habiter [10].

---

10. On est souvent effaré par la platitude de certaines préparations au mariage, quand elles plafonnent à un niveau exclusivement socio-psychologique. Avec des denrées aussi maigres, comment leur tenir dans le combat si rude que doivent mener aujourd'hui les personnes mariées ? Pas de bouillie-nourrissons, pour paras en commando-haut-risque ! Seul le sacrement du mariage reçu avec foi et amour permettra de tenir le coup.

A. Cana : chemin d'amour vers les noces de l'Agneau *

> « Il y eut des noces à Cana, en Galilée.
> La Mère de Jésus était là. »
> Jean **2**.

Marie et Denis : j'avais suivi leur cheminement depuis deux ans. Emerveillé par la manière dont ils avaient vécu leur « célibat d'amour » à Jeunesse-Lumière, confiant leur amour au Seigneur, avant de se déclarer en fin d'année. Puis leur mois de fiançailles à patiemment s'accorder. En ce matin, dans une petite église romane du massif Central, les voilà prenant leur envol pour la vie. Se donnant le sacrement du mariage.

Rayonnante et douce leur joie ! Mais qui donc était follement heureux, bien plus qu'eux-mêmes et que nous tous ? Dieu en personne ! Dieu qui, depuis toujours, savait, prévoyait, attendait ce moment décisif de leur vie, mais aussi de la sienne. N'était-ce pas lui, ce matin, le premier bouleversé ? Et surtout le premier concerné, le premier impliqué ? Dans le mariage, c'est Dieu qui, le premier, s'engage. Qui engage sa grâce, son amour, sa fidélité. Qui se porte témoin et garant. On peut être infidèle, et à Lui et à son conjoint. Lui ne nous laissera jamais, jamais tomber. Sa fidélité sera plus forte que nos infidélités. Si nous le voulons bien.

D'où sa débordante joie en ce matin de lumière.

---

* Cana : le village où Jésus a voulu faire son premier miracle, changeant l'eau en vin, pour la seule joie des jeunes mariés, pour leur éviter simplement une humiliation. C'est alors qu'il a consacré le mariage, en a fait un « sacrement ».

DES MAINS DU PÈRE, VEUX-TU RECEVOIR TON ÉPOUSE ?

Dieu, ce matin, prend un risque : « Denis, veux-tu accueillir Marie dans ta vie ? Depuis toujours, je la préparais. Aujourd'hui je te la confie. Elle est mon enfant. Elle sera ton épouse. Sa vie, je la remets entre tes mains. Je te fais confiance. »

« *Marie*, je te reçois comme épouse et je me donne à toi pour t'aimer fidèlement tout au long de notre vie. »

« *Denis*, je te reçois comme époux et je me donne à toi pour t'aimer fidèlement tout au long de notre vie. »

Etre *confiés* l'un à l'autre, par celui-là même qui, à l'un comme à l'autre, a donné la vie : quelle folle audace ! C'est ainsi que j'ai vu Marie recevoir Denis des mains du Père, et réciproquement. Ils se sont *reçus* l'un l'autre du même Cœur de Dieu. Comme chacun était né de ce même Cœur. Nous étions là, nous les avons entendus alors qu'ils échangeaient l'alliance, d'une voix timide à cause de l'émotion ! Mais ferme à cause de la certitude :

— Reçois, *Denis*, cette alliance que tu remettras à Marie, en signe de Promesse et de Fidélité, au nom du Père, du Fils et du Saint-Esprit. Amen.

— *Marie*, je te donne cette alliance en signe de Promesse et de Fidélité.

— Reçois, *Marie*, cette alliance que tu remettras à Denis en signe de Promesse et de Fidélité, au nom du Père, du Fils et du Saint-Esprit. Amen.

— *Denis*, je te donne cette alliance en signe de Promesse et de Fidélité.

L'INTERVENTION D'UN AUTRE, ET LES VOILÀ AUTRES !

Celui qui entre alors en lice, c'est l'Esprit-Saint. Leur union, il en fait une communion. Il y met son sceau, son empreinte. Ce n'est pas pour rien qu'ils avaient choisi comme Evangile la grande prière de Jésus : « Père, qu'ils soient un comme nous sommes un, toi en moi, et moi en toi. Qu'ils soient un en nous ! »

Ce n'est pas pour rien qu'ils avaient placé une icône de la Trinité sainte devant l'autel. Une fois les consente-ments échangés, nous invoquions sur eux cet Esprit vi-vant entre le Père et le Fils. Et les voûtes ont résonné : « Viens Esprit-Saint, rosée de tendresse, descends sur eux, mets en eux ta joie ! »

Comment résisterait-il, quand c'est toute l'Eglise qui l'implore ? Il fond sur eux. On ne le voit pas, mais le cœur le sait. Tout à l'heure il descendra de la même manière sur le pain et le vin pour en faire le Corps et le Sang du Seigneur. Il les a comme « eucharistiés » : il a fait de leur mutuel amour un vivant « merci » à la gloire du Père [11]. Désormais, leur amour aura une dimension toute nouvelle, une profondeur insoupçonnée. Quelque chose est changé entre eux. Une vie ne sera pas de trop pour en vivre.

Désormais, ils « se verseront leur âme l'un dans l'au-tre » (saint François de Sales) ou plutôt ils seront « comme deux ciboires se déversant l'un dans l'autre. » (P. Claudel). Se donnant l'un à l'autre le Christ, sous les deux espèces de l'homme et de la femme ; comme dans l'Eucharistie, du pain et du vin.

Avant le mariage l'homme donne de l'homme à la

---

11. *Eucharistie* veut dire : vivant remerciement.

femme et vice-versa. Et c'est déjà très grand. Après, l'homme donne quelque chose de Dieu à son épouse et vice-versa.

Un peu comme pour l'ordination d'un prêtre. Avant, il a beau dire : « Ceci est mon corps », le pain reste du pain. Après, il dit exactement les mêmes paroles, fait exactement les mêmes gestes, et voilà le pain devenu Dieu ! C'est qu'entre temps l'Esprit est intervenu pour faire d'un homme un prêtre.

Et, ici : faire d'un homme et d'une femme, un époux et une épouse, on ne sait pas trop comment, mais c'est ainsi. Et dans les deux cas, c'est irrévocable [12].

Quelque chose a lieu, qui plus jamais, jamais ne sera défait.

LA SAINTE LITURGIE DE L'AMOUR

Du coup, les relations sexuelles elles-mêmes en deviennent célébrations liturgiques [13]. De même qu'on ne peut plus séparer l'homme et la femme, on ne peut plus séparer l'âme et le corps. Jésus les a soignés ensemble.

---

12. Ne pas forcer ce rapprochement entre mariage et ordination sacerdotale, aussi éclatant soit-il. Le sacerdoce imprime un « caractère » éternel, absolument ineffaçable, pour l'éternité. Le mariage lie au conjoint jusqu'à la séparation (provisoire) de la mort. Puisqu'en cas de veuvage on peut se remarier. Mais, dans le sacerdoce, le « conjoint » c'est bien le Christ qui, lui, ne peut mourir. (Voir plus loin.)

13. « A travers l'un et l'autre, le langage du corps devient la langue de la liturgie. Celle-ci élève le pacte conjugal aux dimensions du mystère : ce pacte se réalise en même temps à travers le langage du corps. » Jean-Paul II.

Ici, il les sanctifie ensemble. Et chacun devient partenaire de l'autre [14].

« La jouissance n'est ni un but, ni un moyen, elle est
une sorte de langage qui résonne du plus profond de
deux êtres qui se sont élus, et qui célèbrent ensemble
leur unité. La non-jouissance est le signe qu'il y a des
problèmes à résoudre pour parfaire cette unité. L'impuissance, la frigidité, sont des langages qu'il faut comprendre, et non pas des sujets de culpabilisations morbi-
des ou des signes de non-virilité et de non-féminité.
Inversément, culpabiliser la jouissance en limitant
l'union à la seule procréation, c'est refuser un langage,
en coupant artificiellement l'âme du corps, et en empê-
chant qu'apparaisse dans le visage de l'autre, l'Indicible
qui transfigure l'union par la grâce de l'amour. » [15]

Et pour qu'apparaisse ce visage, il faut le recul de la
joyeuse chasteté. Jean, père de famille, vient de
m'écrire :

---

14. Un de ces moines du XIIe siècle, si sensibles aux splendeurs de
l'amour, brosse ce tableau simple et beau : « Si c'est une œuvre sainte
pour chacun de rendre l'autre *partenaire de son propre corps*, ne le
sera-ce pas de le rendre *participant de son âme* ? Ils sont *deux en un seul
cœur*. Ils se lient volontairement par une promesse telle que, doréna-
vant, en toute sincérité d'amour, en toute sollicitude, soutien et fidèle
dévouement, il y a *constant partage* de l'un à l'autre : chacun considère
comme le concernant personnellement tout ce qui advient à l'autre, en
fait de bonheur ou de tribulation. Enfin, chacun veille aux besoins
corporels de l'autre, comme il ferait des siens propres. De même par
rapport à la paix, à la tranquillité intérieure de son conjoint. Dans cette
parfaite communion réciproque, chacun ne vit plus que pour lui-même,
mais pour l'autre. Et tous deux trouvent en cela le plus parfait bonheur.
Tel est l'heureux lot de ceux qui vivent dans la pureté de l'amour, le
lien qui les unit. » (Hugues de Saint Victor, 1141.)

15. Inspiré de Michel Laroche, *Une seule chair.*

« A propos de la chasteté, elle concerne aussi les gens mariés, qui doivent aimer Dieu d'un amour privilégié, au-dessus et avant tout autre amour. Sinon ma femme risquerait de devenir ma prostituée privilégiée. »

CHASTETÉ CONJUGALE, LIBERTÉ ROYALE

Même dans les relations conjugales, une chasteté est condition et de liberté et de santé. Car là aussi, on peut exercer sa sexualité de manière bestiale, brutale, violente, si ce n'est sadique. Bien des perversions peuvent venir ternir la beauté de l'union intime, et par là, miner l'harmonie d'un couple. Combien me l'ont avoué !

Intervient ici la libérante maîtrise de soi. Temps où l'on jeûne de relations physiques, pour libérer l'esprit et se mettre en communion avec tous ceux qui sont privés de vie sexuelle [16]. Ceux qui en font l'expérience en savent la libération. A condition d'être vécu dans un joyeux consentement mutuel, sans jamais forcer l'autre. Mais on peut l'y inviter, l'y préparer.

Ceci surtout pour que rien ne vienne entraver la prière, brouiller l'écoute du cœur à la voix du Seigneur :

« Ne vous refusez pas l'un à l'autre, si ce n'est d'un commun accord, pour un temps, afin de vaquer à la prière. » (1 Co **7**,5) « Rien n'est plus difficile que de vivre la chasteté à moitié. Elle devient par contre étonamment facile le jour où il est décidé qu'elle sera vécue

---

16. Il y a des temps de l'année où l'on reçoit une force toute spéciale pour ainsi jeûner (de nourriture, de tabac, d'alcool, de TV ou de relations sexuelles) : l'Avent (les 3 semaines qui précèdent Noël) et le Carême (les 5 semaines préparant à Pâques).

sans partage, avec, comme disait Thérèse d'Avila, «*une détermination déterminée*».

J'ai rencontré, au long de ma vie, plus d'êtres que je n'aurais pu imaginer, vivant à tous les âges et en toutes circonstances, dans la paix, laborieuse, ou sereine, selon les cas ou les moments, mais réelle, d'une authentique chasteté.

Oser dire ce qui est vrai. Et ce qui est vrai, c'est que la chasteté ouvre à la liberté, conduit à la joie, amène à la tendresse, met en forme, repousse la fatigue, rend disponible, serviable, gai, joyeux et, finalement, redonne à l'homme adulte un cœur d'enfant. »

Pierre-Marie

Tandis que prendre possession de l'autre s'apparente plus au commerce qu'à l'amour. C'est l'exploration d'un pays conquis.

L'AMOUR CONJUGAL PRÉPARE L'AMOUR VIRGINAL

«La durée du couple dépend de l'oblation. L'amour humain et sexuel n'est jamais totalement oblation, c'est une affirmation de moi-même. L'amour virginal est de nature oblative et uniquement oblative, la moindre possession est une dénaturisation de l'amour virginal. *L'amour conjugal prépare l'amour virginal* : dans le ciel, on ne se mariera plus.

Le véritable amour est oblatif, et implique de postposer la satisfaction, quand on reçoit le stimulant. On peut mettre un temps de réflexion avant d'avoir la satisfaction, c'est l'homme et l'homme seul qui peut instaurer ce temps, ce délai d'une heure ou de toute une vie. C'est le sens de la virginité, et c'est à l'intérieur de ce délai que se vit la liberté.

Dans le mariage, pour le véritable amour, plus on est capable dans le couple d'instaurer un délai, plus l'amour est *fort* et *libre*, c'est-à-dire que tout amour conjugal qui n'implique pas l'abstinence et la continence est voué à la mort. Et lorsque l'Église dit que la seule méthode de régulariser les naissances est d'instaurer des périodes d'abstinence c'est afin d'humaniser les relations sexuelles et conjugales. » [17]

UNE FAMILLE DANS LA FAMILLE

Oui, désormais, Denis et Marie vont vivre un tout petit peu comme vivent le Père, le Fils et l'Esprit ! Chacun se recevant de l'autre, n'existant plus que l'un *par* l'autre, l'un *pour* l'autre. Partageant tout, donnant tout. Donnant à l'autre d'exister et pouvant lui dire : « *J'ai besoin de toi pour exister.* »

Chacun faisant partie de la vie de l'autre et lui révélant le plus beau de lui-même [18].

Deux existences qui vont s'entre-lacer, s'entre-tisser, devenir comme intérieures l'une à l'autre [19].

---

17. Cardinal Danneels. Causerie à l'école Jeunesse-Lumière. La Ramée. 18 février 1988.

18. « Sans mon époux, je suis amputée du meilleur de moi-même. » (Lucette Alingrin.)

19. « Toute l'immensité de la vie se faisant intérieure à la rencontre vraie de deux personnes et recevant, par la médiation de ces deux personnes, la grande bénédiction divine des origines telle que Jésus la rappelle : le face à face émerveillé de l'homme et de la femme devenant « une seule chair » (Gn. 2,24 ; Mt. 19,6). Cette unité de la chair ne désignant pas seulement l'union des corps, mais l'entretissement de deux existences. Seuls les très vieux époux, quand la sexualité leur échappe, savent sans doute ce que signifie « devenir une seule chair. » Olivier Clément, op. cit.

En les voyant s'aimer et ensemble donner la vie, les païens finiront-ils par *croire* que Dieu aussi est Amour et Vie. Et d'eux, l'on pourra dire : « *Voyez comme ils s'aiment*, Denis, Marie, et leurs enfants. Mais aussi : le Père, le Fils et l'Esprit ! »

En les regardant se sourire, se regarder, s'aimer, j'ose dire aussi : « Qu'est-ce qu'ils s'aiment, Jésus et son Église ! » Eux aussi se sont épousés à jamais. Lui, il a livré toute sa vie et tout de sa vie pour elle. Pour la rendre plus belle. Et il continue de verser son Sang pour effacer ses rides, pour sans cesse la rajeunir, pour lui donner son éternelle jeunesse. Et elle, de son côté, de se donner à lui. Les martyrs sans cesse versent leur sang pour lui prouver son amour. Et, ensemble, elle et lui, donnent la vie à une multitude. L'Église, oui, est bien épouse et mère.

Partout où vous vivrez, Denis et Marie, laisserez-vous transparaître cette folle tendresse qui unit Jésus et son Église ? A travers votre simple manière de vous aimer, de vous donner l'un à l'autre. Et vous construirez l'Église, simplement en construisant votre foyer, comme une mini-Église, petite Famille dans la Grande !

Et voici, derrière les jeunes mariés, leurs familles respectives, si différentes l'une de l'autre ! Le mariage c'est aussi cela : deux familles qui, sans doute ne se seraient jamais connues et qui se rejoignent. Deux familles qui vont apprendre à se connaître, se comprendre et peut-être s'aimer.

Et puis, derrière ces visages graves ou souriants, il y a chacun des absents, et en premier lieu tous ceux de chaque famille qui les ont déjà précédés au ciel. Interminable cascade de mariages qui, au long des générations, ont préparé et permis celui de Denis et Marie ce matin : un seul maillon manquerait, seraient-ils ici ? Ils sont les enfants de tous ces foyers successifs demeurés fidèles, dans les bons comme dans les mauvais jours. Les enfants de leurs larmes, de leur attente, parfois de leur prière, toujours de leur amour.

VOICI LES NOCES DE DIEU

Ce matin, dans cette petite église aux vitraux étincelants, il y a un air de ciel, ce ciel que la Bible nous présente comme des noces non-stop, où l'Église est jeune, fiancée parée pour son Epoux.

Marie, Denis, merci d'avoir fait chanter les litanies des Saints ! Un à un voici convoqués vos petits préférés parmi la multitude des amis de Dieu. Quel beau défilé ! François, Bernard, Dominique, Thérèse. Nul doute ! Chacun, à l'invitation, s'est empressé de répondre !

C'est que vous êtes décidés à devenir des saints, à votre tour. Rien de moins. Cela simplement pour être heureux. Souvent on a pensé que la sainteté était réservée aux prêtres et religieuses. Hérésie !

Le mariage dans le Christ, pour être une réussite totale, exige la sainteté. Simplement pour ne pas vivre au rabais... Sainteté = bonheur.

Tant et tant d'époux, dans l'histoire, sont devenus des saints [20] même si peu ont été officiellement proclamés.

_____

20. Saint Louis, Thomas More (Angleterre), Brigitte de Suède, Hedwige de Cracovie, Elisabeth de Hongrie et celle du Portugal, Anne-Marie Taïgi (Italie), Conchita (Mexique), entre tant d'autres, ont été de merveilleux époux, et pères et mères de famille.
Une autre jeune mère de famille sera bientôt canonisée : *Gianna Molla* (morte le 28 avril 1962). Petro, son mari, médecin, en était tombé amoureux en la voyant sourire à un ami, à la fin de l'ordination de celui-ci ! Belle liaison entre les deux appels : mariage et sacerdoce !

La réalité est souvent connue de Dieu seul, elle éclatera au grand jour dans le Royaume.

« À TOI DE M'ENFANTER À LA SAINTETÉ ! »

Et voici que les jeunes mariés se donnent un cierge allumé :
« *Marie*, aide-moi à marcher dans la Lumière du Christ, et guide-moi vers le Père. »
« *Denis*, aide-moi à marcher dans la Lumière du Christ, et guide-moi vers le Père. »
Chacun se fera pour l'autre, chemin de lumière vers le Royaume. Chacun sera l'instrument de la sainteté de l'autre. Chacun en sera jaloux. La sainteté, c'est l'amour à l'état pur.
Au moment de la communion, c'est plus bouleversant encore. Plus seulement une flamme, aussi ardente soit-elle, qu'ils s'échangent, mais Celui-là même que cette flamme symbolise : Jésus !
Le prêtre remet entre les mains de Denis le Corps Eucharistique du Christ : pour que ce soit *lui* qui le donne à celle qui est maintenant son épouse. Et réciproquement. Merveilleuse trouvaille pour signifier qu'ils se donnent l'un à l'autre le Christ lui-même [21].
Ne peuvent-ils se dire, chacun : tu es celle/celui qui permet à Dieu de m'aimer !

---

21. Très beau rite de communion pour une messe de mariage ou des retraites de foyers.

B. Pour un amour en crescendo, un regard toujours nouveau

SE MARIER CHAQUE MATIN ?

Le mariage : un couronnement. Mais surtout une mise sur orbite ! Un monde nouveau s'ouvre. Fraîcheur d'une aurore. Denis devient responsable de la *croissance de l'amour* chez Marie et vice-versa. Car l'amour demande à s'intensifier toujours. A aller toujours plus loin, plus profond. L'amour est en *crescendo* ou n'est pas. Il monte ou dégringole. Pas de sur-place.

Pour cela, chaque matin : *se re-choisir*. Se re-donner l'un à l'autre pour la journée qui vient. Comme le consacré qui, chaque matin, se lève : « Me voici de nouveau avec toi, Seigneur, pour aimer avec toi, servir avec toi, au long de ce jour nouveau. » Oui, se marier chaque matin ! Vivifier l'amour par un nouveau oui ! Monnayer chaque jour ce chèque en blanc donné au mariage : « Tu m'as donné trois millions d'un coup. Je te les rends, mais donne-moi chaque jour cent francs. » *Toujours* veut dire : *tous les jours, et jour après jour*.

Ré-actualiser chaque jour la grâce de votre mariage. Et puis régulièrement des temps forts, de retraite, pour vous retremper tout entier dans cette grâce, donnée une fois pour toutes, mais toujours à rafraîchir.

Invoquez chaque matin ensemble, même rapidement, cet Esprit-Saint qui vous a soudés pour la vie. Lui, la perpétuelle nouveauté, la fraîcheur toujours jaillissante, préservera votre amour de la sclérose en plaques [22].

---

22. « L'Esprit que répand le Seigneur rend l'homme et la femme capables de s'aimer comme le Christ nous a aimés. » Jean-Paul II, *Familiaris consortio*, 13.

Rien n'use l'amour comme la lassitude et la routine ! Ne jamais s'habituer à l'autre ! Ne jamais l'enfermer dans un cliché ! Ne jamais l'enchaîner à son passé ! Il n'est déjà plus ce qu'il était hier, ne l'aperçois-tu pas ? Regarde-le tel qu'il est en train de devenir. Vois-le déjà tel qu'il sera demain. Porte sur lui un regard chaque jour nouveau. L'éblouissement, ça passe. L'émerveillement qui s'en lasse ?

À JAMAIS T'AIMER, DE TA PREMIÈRE À TA DERNIÈRE NAISSANCE

> « Celui qui mon cœur aime,
> je l'ai trouvé !
> Je l'ai saisi !
> Jamais, je ne le lâcherai ! »
> Cantique **3**,4.

Deux personnes, c'est deux existences qui vont se mêler, rentrer l'une dans l'autre, devenir inséparables l'une de l'autre, et presque intérieures l'une à l'autre. Et cela à jamais.

Englober toute sa vie ! Son passé, que l'on veut assumer [23]. Mais aussi son avenir. « De même que je t'aime telle que la vie t'a déjà façonnée, je veux t'aimer telle que tu seras, telle que tu deviendras... Je ne veux pas sectionner ton existence. Je t'aime d'avance. D'avance, et pour toujours. Quoi qu'il advienne.

Je me rends responsable de toi, jusque dans ton avenir. Jusqu'aux cheveux blancs, je te signe un chèque en

---

23. Voir Tome I, « S'aimer : s'apprivoiser. »

blanc ! Je veux t'aider à guérir, à mûrir, à grandir, et déjà à vieillir et un jour à mourir. Mais d'abord à vivre, à être, à aimer.

Je t'aime déjà au-delà de la mort. Je t'aime dès aujourd'hui telle que tu seras dans l'éternité. Je t'aime aujourd'hui telle que je t'aimerai au Ciel. T'aimer aujourd'hui, n'est-ce pas déjà le Ciel pour moi ?

Je vois l'enfant blessée que tu es encore, et déjà la Princesse glorieuse que tu seras un jour. Mon regard *anticipe ton avenir*, comme il guérit ton passé.

Je te vois comme Dieu me voit : il m'aime *aujourd'hui* tel que je serai *demain* !

Oui, l'homme est ainsi. Depuis toujours et dans tous les peuples. Nous n'y pourrons jamais rien. L'amour est ainsi ou n'est pas. Et si tu n'en es pas encore là, c'est peut-être que tu piétines aux frontières du pays de l'amour. Ou plutôt que tu y chemines. Car on n'y arrive pas d'un coup. On y tend. On s'en rapproche. Vaille que vaille. Au jour le jour.

À LA FACE DE LA TERRE ET DU CIEL

Ce *tout* et ce *toujours* est d'une telle force que j'éprouve le besoin de le signifier, le clamer, le montrer, le manifester, le prouver, l'attester. Et non en mot et paroles mais par un acte. Précis, concret, visible, tangible.

Et non de manière clandestine, en catimini, à la sauvette, mais publiquement, à la face du monde : des hommes et des anges... de la terre et du ciel. On veut des témoins, pour en témoigner. Des amis pour confirmer notre oui. Pour ne pas être seuls dans les moments durs.

Pour être soutenus, entourés, protégés. Pour pouvoir *tenir*, ou plutôt *entretenir*, un amour [24]. *Durer*, ou plutôt *demeurer* dans l'Amour. Car : «Qui demeure dans l'amour demeure en Dieu et Dieu demeure en lui.»

PAR CE QUE TU ES, JE DEVIENDRAI CE QUE JE SUIS...

Toute la vie est donnée pour découvrir et s'émerveiller de l'étonnante complémentarité entre l'homme et la femme. Et pour en vivre ! Et en la vivant, devenir saints l'un et l'autre.

- *L'homme* est investi d'un ministère, la *femme* pénétrée par le mystère.
- *L'homme* a davantage [25] une faculté créatrice, inventive, pour transformer le monde. La *femme*, davantage une fonction prophétique pour donner et protéger la vie.
- *L'homme* est doué pour cérébraliser, conceptualiser et finalement formuler. La *femme*, plus riche d'intuition et d'inspiration, de pressentiments et de sentiments.
- *L'homme* a une vision d'ensemble, de synthèse... La *femme*, le sens concret des détails et des impondérables.
- *L'homme* se contente plus facilement d'une honnête médiocrité. La *femme* — prise par un idéal — ira jusqu'au bout, jusqu'à l'héroïsme.

---

24. «Le signe d'un grand amour consiste non à *tenir*, mais à *entretenir* une *promesse* divine. Car on aime non dans la mesure où l'on *possède*, mais dans la mesure où l'on *attend*.» Gustave Thibon.

25. A chaque ligne, il faudrait ajouter ce *davantage*. Car chacun porte en lui une part féminine et une part masculine, plus ou moins bien équilibrée.

● *L'homme* est porté vers la théorie et le spéculatif, la *femme*, sur l'être et l'opératif.

● *L'homme*, c'est le pouvoir de décision, la *femme*, la grâce d'intercession.

● *L'homme* est plus extérieur, expressif, la *femme* plus intérieure et accueillante.

● *L'homme*, plus dynamique, la *femme*, plus pondérée.

● Chez *l'homme* la sexualité est plus affleurante, chez la *femme* plus profonde.

Et chacun suivant son expérience personnelle, peut continuer cette litanie de dons respectifs. Splendide enrichissement que l'accueil de l'autre, en profondeur. Le faire dans le concret du quotidien par des actes-lumière. (Tu déplaces une lettre et *concret* devient *concert*).

... SI TU ME FAIS RETROUVER MON COEUR VULNÉRABLE

Mais trop souvent, même dans le mariage, la tentation est grande de *biaiser* avec les exigences de cette complémentarité.

> «Le danger pour l'homme est de fuir la vulnérabilité de son cœur et ses puissances de tendresse (il réclame une femme-mère, puis très vite, comme un petit garçon, il la refuse, voulant sa propre liberté). Il se jette alors dans le monde de l'efficacité et de l'organisation, niant la tendresse. Mais par le fait même il se mutile et se sépare de ce qui en lui est essentiel. A ce moment-là il idéalise la femme -elle est la vierge toute pure- ou il la plonge dans la déchéance -elle est la grande séductrice, l'instrument du diable, la prostituée. Il est en train de rejeter sa propre sexualité, soit qu'il la considère comme mauvaise,

soit qu'il la nie. De toute façon, il refuse toute relation vraie avec la femme comme personne et ne la voit plus que comme symbole de péché ou de pureté.

Toute la croissance de l'homme est dans la maturation de ses rapports avec la femme. Tant qu'il demeure au stade des rapports mère-enfant, ou au stade de la femme séduction-répulsion, il ne peut vraiment grandir, même spirituellement.

Mais pour pouvoir grandir ainsi, il lui faut découvrir son identité d'homme et les dangers qui y sont inhérents. Il a souvent besoin d'une femme bien dans sa peau qui l'aide à retrouver ses propres puissances de tendresse, son cœur vulnérable, sans se sentir mis en danger par une sexualité désordonnée. C'est alors qu'il trouve un équilibre entre la virilité de l'action efficace, le rayonnement du pouvoir, et son cœur d'homme.

De la même façon, la femme, elle aussi, doit trouver son équilibre. Elle ne doit pas, par refus de sa féminité, chercher le pouvoir de l'homme ni loucher jalousement sur ses capacités d'organisation, mais elle doit découvrir les richesses de sa propre féminité ; si elle n'a pas toujours un pouvoir extérieur, elle a, par sa faiblesse, un pouvoir d'attraction et parfois de séduction sur le cœur de l'homme. Et dans sa faiblesse, par le fait même qu'elle est parfois privée de pouvoir, elle a une intuition plus limpide et plus vraie, moins mêlée aux passions d'orgueil et de puissance qui colorent souvent l'intelligence de l'homme. » [26]

Mais cela suppose, jusque dans le mariage, de ne pas *tricher* avec une certaine souffrance. L'ajustement mutuel, le vécu de la complémentarité peut être douloureux. Tant de couples se sont brisés, parce que la croix a été refusée. Au moindre problème d'entente, on a calé !

---

26. Jean Vanier, *La communauté*, p. 206. Editions Fleurus.

Oui, quand la croix est systématiquement évacuée, on vit sur un rêve utopique.

> « L'homme et la femme, emportés par leur désir narcissique et le rêve d'un couple sans conflits, en détruisent les conditions réelles de possibilité, tout particulièrement sa fidélité et sa fécondité. *Si les pères et mères manquent aux enfants*, c'est parce que, dans nos pays développés, *les hommes et les femmes de notre siècle se manquent les uns aux autres.* » [27].

CETTE PETIT JUMELLE DE L'AMOUR. L'HUMOUR.

Etre tout accueil à ce que pense, dit, désire ton conjoint. Le comprendre du dedans. Etre sûr qu'il a beaucoup à m'enseigner. Lui être docile. D'autant plus qu'il est différent de moi.

Se durcir sur ses positions, se raidir dans ses points de vue, se cramponner dans ses idées, s'entêter dans ses a priori : symptômes d'orgueil et de sénilité.

Enfermer l'autre dans un préjugé, c'est le condamner à son passé.

Sois pauvre, de cette humilité qui est la signature de Dieu.

Et *humilité* + *amour* = humour.

Celui qui fait jaillir la complicité espiègle des époux. « La force du rire, celui qui relativise toute parole brutale, toute maladresse, toute faiblesse. L'humour qui nait d'un dialogue en cœur d'enfant et engendre le rire ! Qu'il est bon le rire des époux, et comme il doit être agréable

---

27. Cardinal Lustiger, 40ème anniversaire de l'UNICEF, 17 juin 1986, *Documentation Catholique*, 5 octobre 1986.

au Seigneur! C'est l'expression de leur bonheur, leur oblation joyeuse » (*Nicole et Jean-Marc*). Oui, l'humour est test infaillible de la communion. Non pas l'ironie destructice, perversion de l'humour. Mais la gaieté franche et spontanée de ceux qui s'aiment d'amour. Amour qu'accompagne toujours son cadet : humour, inséparable de sa petite jumelle : bonne humeur. Demander ensemble ce cadeau, puisque personne n'a d'humour comme le Seigneur de l'Amour [27b].

*

« Tellement d'erreurs se sont dites sur la foi, l'amour et la sexualité que nous voulons attester combien la vie de foi et la vie affective, la prière et la sexualité ne sont pas deux mondes à part : au contraire l'une nourrit l'autre. Oui, Christ est notre libérateur, en nous rendant sain de corps et d'esprit. Grâce à son Esprit-Saint, l'amour qui nous unit n'a d'autre source que l'amour vécu au cœur de la Trinité, Père, Fils et Saint-Esprit.

Nous sommes portés à contempler la Très Sainte Trinité au cœur du monde. Nous sentons réellement qu'une de nos pierres d'angle est **la contemplation au cœur du monde**. »

Alex et Maud, 25 et 26 ans

27b. Recevant les confidences et de jeunes amoureux, et de jeunes appelés à la consécration totale, je suis émerveillé des similitudes entre ces deux situations — chaque fois, c'est une question d'amour !

3

CES AMOUREUX FOUS DE DIEU

LES DEUX MAINS DE L'ÉGLISE

Aux noces de Cana, qui donc Jésus invite-t-il ? Les cinq premiers disciples qu'il vient d'appeler ce jour-là : d'un côté de Jésus les jeunes mariés, de l'autre les jeunes futurs prêtres !

Déjà furent présentés au Temple : d'un côté les jeunes mariés (Marie et Joseph), de l'autre les consacrés (Siméon et Anne). Les deux appels se sourcent dans les mêmes mystères de l'union entre Marie et Joseph : c'est bel et bien un mariage et pourtant chacun en est consacré dans la virginité.

Ne jamais séparer ces deux vocations : elles s'éclairent l'une de l'autre. Ces deux manières de vivre notre sexualité devront toujours être vues et comprises l'une par l'autre [28].

Voilà les deux mains de l'Église, par lesquelles elle agit dans le monde. Les deux voies royales vers une même

---

28. « Mariage et virginité, l'un comme l'autre, sont une concrétisation de la vérité profonde de l'homme et de son être à l'image de Dieu. » Jean-Paul II, *Familiaris consortio*.

sainteté [29]. Les deux pentes du même mont Thabor [30]. Même si le chemin de la virginité est un raccourci, par la radicalité des moyens pris. Mais prendre un raccourci n'est pas forcément arriver le premier. Dans les ronces et éboulis on peut s'égarer. Chemin plus court, risques plus grands. Une piste dans la neige n'est pas un télésiège !

Puis-je rêver ? D'une ordination sacerdotale plus une consécration virginale plus un mariage plus un baptême, célébrés tout à la fois, au cours d'une même liturgie. Avec parties propres pour chaque état, et parties communes (comme le chant à l'Esprit-Saint et les litanies des saints et, bien sûr, l'Eucharistie).

Quelques flashes sur cette merveilleuse complémentarité :

● *Le mariage* relève de la création. (Adam y reçoit son épouse et l'ordre de procréer.) *La virginité* : de la rédemption ; seul Jésus, en tant que Créateur, pouvait enfreindre cette loi première pour associer des hommes et des femmes à son travail de Sauveur.

● *Le mariage* remonte donc aux origines, *la virginité* commence avec le Christ [31].

● *Le mariage* fait vivre un amour de Dieu « médiatisé » : tu l'aimes en passant par ton conjoint et tes enfants. *La virginité*, un amour d'immédiateté : en direct, radical.

---

29. « L'état monastique et, symétriquement, l'état conjugal, constituent les deux formes du sacerdoce royal. » Paul Evdokimov, théologien orthodoxe.

30. Montagne où le corps de Jésus a été vu resplendissant de sa Gloire.

31. « La nature du mariage et du célibat est conjugale. L'une comme l'autre tendent à exprimer cette signification conjugale du corps, inscrite dans la structure personnelle de l'homme et de la femme depuis l'origine. » Jean-Paul II, R.M.C. 3, 16.

● *Le mariage* est un lieu où l'on pressent que Dieu est Trinité : la vie se répand dans un amour mutuel. *La virginité*, le signe que Jésus est bel et bien ressuscité, vivant à jamais.

● *Le mariage* contient le germe de notre avenir céleste, où nous verrons Dieu tel qu'il est. *La virginité* anticipe cette réalité future du ciel, où « l'on ne s'épousera plus », mais où tous seront épousés par Dieu [32].

● *Le mariage* est comme la fusée porteuse vers le ciel, *la virginité* la tête chercheuse.

Et dans les deux voies, l'amour n'a-t-il pas les mêmes exigences, le même langage :

> « Pose-moi comme un sceau sur ton cœur
> comme un sceau sur ton bras.
> L'amour est fort comme la mort !
> Ses traits : traits de feu,
> Flamme du Seigneur !
> Les grandes eaux ne peuvent éteindre l'amour
> ni les fleuves le submerger ! »
> Cantique, **8**,6.

---

32. « Le cœur vierge est plus disponible à l'amour gratuit des frères. La virginité est renonciation à la forme d'amour typique du mariage, mais c'est dans le but d'assumer plus profondément le dynamisme de l'ouverture oblative inscrit dans la sexualité, et de l'ouvrir à la puissance transfiguratrice de la présence de l'Esprit, lui qui enseigne à aimer le Père et ses frères comme le Seigneur Jésus. » *Orientations*...31.

LE CÉLIBAT CONSACRÉ : UN ÉPANOUISSEMENT DE LA SEXUALITÉ

> « Tu m'as séduit, Seigneur,
> et je me suis laissé séduire !
> Tu m'as maîtrisé :
> tu as été le plus fort !
> Feu dévorant en mon cœur,
> impossible à contenir ! »
> Prophète Jérémie, **20**, 7-9.

Jean-Charles et Magalie viennent un jour me trouver, en larmes. Depuis plusieurs mois, ils vivaient le premier grand amour de leur vie, passionnément. Et voilà qu'en cheminant, ils réalisent tous les deux que chacun avait été précédé par un autre amour. Et, chacun de dire à l'autre :

« Je ne veux pas te retirer au Seigneur. Il a été le premier à te rejoindre, bien avant notre première rencontre. »

Et de me confier : « Ce fut un martyre, mais on ne regrette rien. Chacun a enfanté la vocation de l'autre. »

Ils ont eu le courage de se donner l'un l'autre au Seigneur. L'un se destine au sacerdoce, l'autre est entrée chez les moniales. Je n'ai peut-être jamais vu des jeunes s'aimer autant !

L'appel au célibat ! Quel mystère ! Déroutant, bouleversant, incompréhensible, pour qui ne reçoit pas de Dieu une lumière dans le cœur.

C'est tout de même un fait, que personne ne peut honnêtement ignorer, qu'il y ait une telle multitude d'hommes et de femmes de toute époque, et aujourd'hui plus que dans un passé récent, qui ont vécu leur sexualité dans une plénitude d'amour telle, qu'ils renoncent jusqu'à l'exercice physique de la sexualité. Leur sexualité s'est épanouie sans recours à la génitalité.

Une Jeanne d'Arc, une Thérèse d'Avila, une Mère Teresa sont tout de même de sacrées bonnes femmes ! Un François d'Assise, un Vincent de Paul, un Don Bosco, un Jean Vanier, un Abbé Pierre, un Jean-Paul II ne sont tout de même pas des « hommelettes » ? Pleinement femmes ou hommes, ils ont déployé toutes leurs énergies créatrices. Loin d'être refoulée, leur sexualité gagne en virilité ou en féminité, en liberté, en authenticité. La potentialité de *leur don de soi en est prodigieusement décuplée*.

En très grande majorité, ceux qui ont fondé -et se sont dépensés dans- hôpitaux, orphelinats, écoles, léproseries, ici comme à l'autre bout du monde, n'ont-ils pas été totalement consacrés au Seigneur, pour être totalement libres de se battre pour l'homme partout où il souffre [33].

CHAGRIN D'AMOUR ? ÉBLOUISSEMENT !

Ni cas pathologiques, ni bons pour hôpital psychiatrique, ni masos, ni paranos, mais jeunes bien dans leur peau, équilibrés, sains. Va voir un jour chez des petites Sœurs de Bethléem, ou des petits Frères de Saint Jean, dans un carmel ou un monastère si ces jeunes de ton âge

---

33. « Il faut affirmer avec lucidité et courage évangélique que la virginité et le célibat consacré pour le Royaume *libèrent une force particulièrement efficace* pour l'annonce de l'Evangile et pour l'exercice des œuvres de charité. » Jean-Paul II, aux évêques d'Europe, octobre 1985.

ont l'air coincé ou complexé. Qu'est-ce qu'ils sont beaux, rayonnants de gaieté, éclatants de vie : de jeunes amoureux, quoi ! Donc on peut, bel et bien, vivre un amour qui rend heureux, même libéré du plaisir sexuel [34]. Car un amour plus fort l'emporte, un amour nuptial [35].

Un vieux moine d'Egypte ose dire : « Que l'Eros physique soit pour toi un modèle de ton désir de Dieu. Heureux celui qui n'a pas *une passion moins violente pour Dieu que l'amant pour sa bien-aimée* ! » Dieu suffit à remplir ton cœur, à remplir ta vie. Tu es content de lui. Le célibat n'est donc pas possible sans une tendresse incroyable pour Jésus, une tendresse qui ne peut être donnée que par l'Esprit. Et l'Esprit ne la donne que dans une intimité avec Marie.

Tu veux simplement ressembler à ce Jésus qui, lui, a quitté d'avance femme et enfants pour être totalement à nous. Tu veux donner tout à Celui qui a donné tout de lui-même. Dieu devient alors tout pour toi.

S'il y a parfois des célibats mal vécus, avec des dérapages, c'est souvent à cause d'un manque de tendresse dans la relation avec le Seigneur. Il y a comme une hypertrophie du cérébral, de l'intellect, entraînant comme un dessèchement du cœur. Et vivre avec un cœur desséché,

---

34. Le consacré, en renonçant à l'usage du sexe, peut en connaître l'essence : sa fin et sa consommation. Le renoncement au plaisir lui fait trouver d'emblée ce que l'esclave du plaisir cherche désespérément. On les croit moines par chagrin d'amour, ils le sont par éblouissement ! » Stan Rougier, *Aime et tu vivras*, p. 116. Editions...

35. « Votre profession religieuse est marquée de la ressemblance avec l'amour qui, dans le cœur du Christ, est à la fois rédempteur et nuptial. La virginité consacrée est expression de l'amour nuptial pour le Rédempteur lui-même. C'est un choix charismatique du Christ comme époux exclusif. » Jean-Paul II, *La vie religieuse*, 84.

c'est pas possible ! On est alors forcé de chercher des petites compensations, de se récupérer à la petite cuillère. La solution ? Trouver cette unité entre l'esprit et le cœur. Ce qui est l'œuvre de la prière.

Cette dimension affective éclate tellement chez les amis de Dieu ! Des textes de Jean de la Croix, Thérèse d'Avila, saint Bernard, sont presque impubliables actuellement. Un tel débordement de sentiments serait suspecté d'érotisme !

TU ÉPOUSERAIS UN CADAVRE, TOI ?

Dis-moi, as-tu déjà rencontré des garçons et des filles de 20-25 ans renonçant à l'amour humain, à des enfants, par seul amour de César, de Napoléon, de Nietzsche ou de Mao ? Des centaines de milliers, en tous pays, à toute époque, le font pour Jésus. C'est qu'eux sont morts. Lui ne l'est pas ! Jamais je n'épouserai la reine Victoria !

On ne peut faire sa vie dans la joie, sinon à l'intérieur d'un échange d'amour avec une personne. Et il n'y en a *pas d'autre que Jésus*. Le vide de conjoint et d'enfant à côté d'un homme ou d'une femme consacrés à Dieu, c'est tout simplement le *vide du tombeau vide* au matin de Pâques. Son Corps n'est plus au tombeau, il est au Ciel et dans l'Eucharistie. Une relation vivante avec Lui en son Corps fait le bonheur des amoureux de Dieu.

Bonheur déjà éternel : l'Epoux de leur cœur ne peut jamais mourir. Il a déjà traversé la mort. Le veuvage ne les atteindra jamais. Toutes leurs capacités d'aimer, ils les ont déjà investies dans le seul (avec Marie) qui soit déjà passé, *avec son corps*, de l'autre côté de la mort. Expérience enivrante d'un amour déjà victorieux de la mort !

Non et non ! Le consacré n'est pas un célibataire !

C'est un amoureux! Ce n'est pas la même chose! Un amoureux et un témoin! Il brise la clôture d'un monde qui veut ramener l'homme à une seule dimension, qui le fait vivre en circuit fermé. Il l'ouvre au monde qui vient [36]. *Il conteste le monde en attestant le Royaume.* Il devient homme en se laissant configurer à l'Homme-Jésus, ou femme en devenant vivante icône de Marie. Ils ne veulent pas connaître d'autres Noces que celles du Royaume à venir. Comme Jésus. Comme Marie. Ils chantent avec ce moine du Vème siècle : « Ton amour a blessé mon âme. Mon cœur ne peut souffrir tes flammes! J'avance en te chantant!»

COMBATTRE AUX CÔTÉS DES PLUS BLESSÉS, DES PLUS FRAGILES

Cela ne veut pas dire un amour à l'eau de rose, sans tempêtes et sans combats. Mais précisément ce *combat permanent*, jusqu'au bout, les empêche de s'enliser dans une petite vie facile et médiocre. Elle exige d'eux qu'ils soient sans cesse sur le qui-vive. En état d'alerte contre les attaques de l'ennemi. Et là encore, ils doivent montrer un courage d'homme, une ténacité de femme. Il leur faut une âme de martyr. La virginité prépare au martyre et fait vivre en communion avec les martyrs. Et l'Église les appelle : les amis blessés de l'Epoux.

Le célibat : une blessure vive, toujours ouverte, jamais cicatrisée, mais chaque soir offerte. Qui leur donne, à

---

36. Seul celui qui a inventé la sexualité et la génitalité peut oser demander à un être humain de renoncer au pouvoir le plus fabuleux, à la jouissance la plus captivante qui soit. Et cela pour toujours, puisque ni au ciel ni sur terre il ne l'exercera une seule fois! Stupéfiant!

chaque tentation, de refaire le choix de leur cœur : « Seigneur, je te trouve plus beau encore que ce garçon, c'est toi que je choisis à nouveau, comme l'unique partenaire de ma vie !... » Et cela maintient jeune.

Cette vulnérabilité les fait basculer du côté des plus pauvres, des exilés, des handicapés dans leur corps ou leur esprit, des prisonniers, des malades qui, eux, doivent renoncer -provisoirement ou pour toujours- à une vie sexuelle comme à une vie familiale normales. Basculer aussi du côté des jeunes qui doivent tenir ce même combat de la chasteté. Ils sont pour eux le signe que c'est vivable, parce que vécu dans la joie. Ce célibat d'amour les rend tout proches des milliers d'adolescents, pour qui ils sont une espérance et une force [37].

Ainsi une fécondité en Dieu leur est donnée. Ils renoncent à donner la vie dans la chair, pour transmettre la vie même de Dieu à une multitude qu'ils ne connaîtront souvent qu'au ciel.

Tout cela ne peut être vécu que si c'est *donné* par Dieu. Comme un cadeau royal. Jésus nous fait alors une confiance folle : il nous confie sa propre manière de nous aimer ! Tu la *reçois*, de ses mains, de son cœur.

> « Comme la fiancée fait toute la joie de son fiancé
>   tu seras toute la joie de ton Dieu !
> Tu seras appelée : « Ma préférence ! »
>   Ta terre deviendra : « L'épousée ! »
> Entre les doigts de ton Dieu
>   tu seras une couronne brillante, diadème royal ! »
>   Prophète Isaïe, **62**, 5.

---

37. Bruno, emporté par la myopathie à 17 ans, me confiait dans un souffle, quelques heures avant de nous quitter : « C'est voyant que tu vivais si joyeusement ton célibat, que j'ai pu offrir, au lieu de subir, ma condition m'interdisant toute relation sexuelle. »

CES CONSACRÉS À TA CONSÉCRATION

Un dernier mot sur le célibat spécifique des prêtres [38]. Ce qui précède a dû t'en faire saisir et le sens et la beauté. Surtout ne pense pas que c'est par dépréciation du mariage. C'est exactement le contraire. C'est parce que le mariage est pris tellement au sérieux, et non au rabais, par l'Église, qu'elle pense difficile de vivre deux engagements qui, tous deux, prennent l'être et la vie tout entiers. Mariage comme sacerdoce impliquent un investissement de tout soi-même. Il y aurait conflit ou tiraillement entre deux totalités, qui sont deux ministères.

De plus, ils renoncent à faire des enfants pour -d'une certaine manière- « enfanter » dans l'*Eucharistie*. Ils n'ont pas de relation avec d'autres corps que le Corps de Jésus. Ils sont consacrés, dans leur corps, pour pouvoir consacrer le Corps. Toute leur tendresse, ils la vivent à la Messe. Dans le *Pardon*, ils font don de la Vie de Dieu. Dans le baptême, ils engendrent des enfants de lumière : ils sont pères !

Vu que c'est un combat, parfois de sang, qui rend toujours vulnérable, je te demande de tout faire pour respecter la consécration de tes frères prêtres, si tu es une fille, de tes petites sœurs consacrées si tu es un garçon. De ne pas les provoquer. Au contraire, aide-les par toute ton attitude et ta prière, à demeurer fidèles à l'Amour qui les a choisis par amour de toi. Car n'est-ce pas ainsi que Jésus a voulu les mettre à ton service ?

S'il n'y avait pas de consacrés, il n'y aurait plus de fidélité chrétienne des mariés. S'il n'y avait plus de

---

38. J'ai développé ceci dans un livre pour les prêtres : *Entre tes mains, le Cosmos !* Editions Fayard.

foyers chrétiens, il n'y aurait plus de consacrés. Sans prêtres, pas d'Église. Sans mariés, pas d'Église. Et sans Église : ni prêtres, ni mariés, ni baptisés !

Tous partenaires les uns des autres. Les uns avec les autres, partenaires de Dieu.

CES COMMUNAUTÉS OÙ L'ON FAIT CORPS AUTOUR DU CORPS

Depuis quelque temps, l'Esprit suscite dans l'Eglise de nombreuses communautés où des hommes et des femmes, consacrés dans le célibat par amour de Jésus, et des personnes, consacrées au Seigneur aussi mais dans le mariage, vivent ensemble [39]. Ils sont unanimes : chacune des vocations éclaire l'autre. Ils s'appuient les uns sur les autres. Le consacré rappelle au marié que le mariage est tout entier en fonction du retour en gloire du Seigneur. Et vice-versa, la tendresse entre époux, entre parents et enfants, rappelle au consacré ce que doit être sa tendresse pour son Seigneur, son pouvoir de donner la vie à une multitude d'enfants spirituels [40].

Dans les communautés où tous ensemble font corps,

---

39. « Ce ressourcement spirituel et conjugal est décuplé, amplifié s'il est partagé et véhiculé entre frères et sœurs se reconnaissant d'un même Père. La vie et l'amour fraternels enveloppant comme d'un hâlo lumineux cette intensité familiale. L'Église est cette fraternité universelle, signifiée par ces communautés ou fraternités échangeant biens spirituels et matériels, se portant et s'édifiant mutuellement. » (Un jeune couple.)

40. En parlant récemment à 700 jeunes de Terminale, ce qui fut le plus longtemps applaudi : ce que je leur confiais sur mon bonheur d'être consacré dans le célibat d'amour pour Dieu.

nous touchons, nous sentons l'Eglise comme étant effectivement le Corps du Christ. Nous y palpons la chair et le sang de l'Église. Et comment garder son corps intègre, sans s'intégrer au Corps de l'Eglise ?

Là où des hommes et des femmes font corps, nul risque de mépriser le corps. Là où des frères et des sœurs vivent dans la lumière, nul risque de galvauder l'amour.

Là où règne un amour de transparence, une exigence mutuelle de sainteté, alors la chasteté se fait allègre et lumineuse.

Mais où se construit le corps d'une communauté, le Corps de l'Eglise, sinon à l'intérieur du Corps de Jésus-Eucharistie ?

II

LA VIE SUSCITE LA VIE

« Moi, je suis venu pour qu'on ait la Vie
une vie en surabondance.
C'est pourquoi je donne ma vie
je la donne de moi-même. »
Jean **10**. 10,17.

A ceci, nous avons connu l'Amour :
Sa vie, Jésus l'a donnée pour nous
A notre tour, donnons notre vie… »
1ère lettre de saint Jean **3**, 16.

1

L'ENFANT, AVENIR DE L'AMOUR

A. Une mise sur orbite d'éternité

La seule possibilité de donner la vie ouvre l'acte sexuel sur une perspective d'avenir. Il existe un amour qui oublie le passé, et n'attend rien de plus tard. « Etre heureux ici et maintenant, toi et moi. » Un point c'est tout. Un tel amour porte des germes de mort [1]. Seule l'ouverture à l'enfant permet à l'union sexuelle d'échapper à l'emprise mortelle d'un érotisme-égoïsme qui éternise le plaisir du moment présent.

Car, avec l'enfant, c'est toi-même qui te rends éternel, pour ainsi dire.

---

1. « La passion idolâtre a partie liée avec la mort, elle est à la fois nostalgie d'une impossible fusion et guerre des sexes. Autour des enfants, elle exténue le monde, chasse les autres. Rien ne compte désormais que d'être avec celui, avec celle que l'on « aime », de parvenir avec lui ou elle à l'extase érotique. Dans le grave et durable amour, au contraire, *chacun rend à l'autre le monde dans sa fraîcheur première*. Chacun donne à l'autre non la mort mais la vie. Et cette dimension du véritable amour s'inscrit dans le mystère de la vie ensemble et volontairement donnée, *la visitation de ces petits inconnus que sont nos enfants*, qu'il nous faudra aimer et mettre spirituellement au monde par un long service désintéressé. » O. Clément.

De toi, va sortir une autre personne. Une personne, en même temps tenant tout de moi, en même temps tout autre. Qui ne peut exister sans moi, et qui pourtant finira par se passer de moi. En qui je vais me retrouver, me reconnaître, et en même temps qui me dé-routera, me déconcertera. Moi encore et déjà plus moi ! Déjà lui, elle : absolument unique au monde, unique dans l'histoire du monde ! [2]

Et cela, non en passant, de manière transitoire, non pour quelques semaines, mois, ou même, années. Mais... pour toujours, toujours, toujours... Dieu ne donne pas la vie au compte-gouttes. La vie qu'Il donne est éternelle, ou elle n'est pas. Pas humaine, c'est-à-dire pas digne de Dieu... D'un Dieu qui donne tout avec surabondance. D'un Dieu incapable de chronométrer. Zéro en calcul.

Cet être neuf, qui tout à coup est là, ne cessera donc plus jamais d'exister ! Il existe comme Dieu existe ! Rien ne pourra lui arracher la vie, sa vraie vie, la vie de son âme, son cœur profond. On aurait beau le tuer -peut-être dès le ventre de sa mère- son corps aurait beau mourir, lui -lui-même- en ce qu'il a d'unique, ne peut pas mourir. Pouvoir démesuré : celui qu'aucun animal ne pourra jamais exercer, celui qu'un Dieu génial t'a abandonné ! Ce pouvoir ? *De nos pauvres corps faire jaillir l'éternité* ! Existence toute neuve, du premier coup lancée sur orbite de vie éternelle ! Tu te rends compte ?

―――――――――

2. Dans la minute qui suit le rapport fécondant, tout ce que (biologiquement) l'enfant possèdera à jamais de son père est déjà en place, en entier et définitivement. Même si l'homme doit toujours l'ignorer, même s'il ne voit jamais cet enfant, même s'il meurt, l'enfant procréé pourra présenter les caractéristiques de son géniteur, il en aura tous les éléments nécessaires ! Rien qu'à cause de cela, on devrait reconnaître une « intouchabilité » à l'embryon.

AVEC LE CRÉATEUR, CRÉER !

Et pourquoi ? Et comment ? Parce que ton acte même a comme provoqué l'intervention directe et immédiate de Dieu. Dieu seul est capable de donner une âme humaine, un cœur pensant, aimant et vivant à cet être à qui tu donnes et ta chair et ton sang, et ton hérédité, et ton atavisme. Et cela à l'instant même où la fécondité éclot au plus intime de la mère [3].

Tu travailles alors en symbiose avec Dieu, en « synergie » (mélangeant vos énergies) avec Lui. Tu es co-créateur avec Lui. Il donne à ta fécondité une dimension divine, donc éternelle. Eternelle parce que divine. Il en est ainsi. Même si tu n'y comprends rien, il en est ainsi. Même si cela te dépasse, il en est ainsi. Même si tu n'y crois pas, il en est ainsi.

Quand une femme porte un enfant, elle est liée à

_____

3. « Pour l'analyse déterministe la plus stricte, le début de l'être humain remonte très exactement à la fécondation et toute l'existence, des premières divisions à l'extrême sénescence, n'est que l'amplification du thème primitif... Cette première cellule qui se divise activement, ce premier amas en incessante organisation est-ce déjà un être humain différent de sa mère ? Non seulement son individualité est bien certainement établie... mais chose difficilement croyable, ce minuscule embryon au 6ème et 7ème jour de sa vie, avec juste un millimètre et demi de taille hors tout, est déjà capable de présider à son propre destin. C'est lui et lui seul qui par un message chimique incite le corps jaune de l'ovaire à fonctionner et suspend le cycle menstruel de sa mère. Il oblige ainsi sa mère à lui conserver sa protection ; déjà il fait d'elle ce qu'il veut et Dieu sait qu'il ne s'en privera pas par la suite. La cellule primitive est comparable au magnétophone chargé de sa bande magnétique. Sitôt le mécanisme en route, l'œuvre humaine est vécue, strictement conforme à son programme. » Prof. **J. Lejeune.** Communication à l'Académie des Sciences morales et politiques. Paris, le 1er octobre 1973.

Dieu, j'oserais dire viscéralement, jusqu'en son être physique. La voilà porteuse de vie. Mère de la vie. Non seulement d'une vie biologique, mais d'une vie spirituelle, d'une vie divine. D'un enfant à qui Dieu a donné son âme -une âme immortelle ! Tu te rends compte ? Même aux anges, Dieu n'a pas donné un tel pouvoir ! Et Dieu veut dépendre de nous pour ainsi donner la vie. Mais, tu te rends compte ! C'est fou !

Quelle audacieuse *confiance* nous fait donc le Créateur ! Il s'en remet à toi, à moi, d'une personne qu'il aime déjà follement. Qu'il aime au point de lui donner d'exister. Par cette âme ainsi reçue, l'enfant *ressemble plus à Dieu même qu'à ses propres parents...*

Leur enfant est d'abord, essentiellement, enfant de Dieu. Il leur a confié cette vie à transmettre, à protéger, à respecter, à aimer.

La fécondité est autant spirituelle que charnelle. Evènement le plus fabuleux qu'on puisse imaginer ! Cela relève en direct de l'ordre de la création ! Il y a participation à l'acte même de Dieu, quand il a insufflé son souffle de vie, en pleine glaise [4]. Et voici : la glaise devient visage, cœur. La matière est devenue lumière. Un objet est devenu quelqu'un ! Et, des spermatozoïdes et de l'ovule, matière apparemment inanimée, voici quelqu'un qui à l'instant même de leur rencontre *existe,*

---

4. « Quand je suis invité dans une ville, j'aime visiter le campus universitaire et le zoo. J'ai vu des congrès d'étudiants se demandant si l'homme ne serait pas une variante du chimpanzé. Je n'ai jamais vu un congrès de chimpanzés se demandant si leurs petits seraient universitaires ! » Professeur **Jérôme Lejeune**. 11ème Congrès international de la Famille, Bruxelles, mars 1988.

vit, vibre, sent, déjà pense, et commence à aimer ! J'oserais dire : à chanter ! [5] Comment l'Esprit-Saint ne serait-il pas au rendez-vous ?

AVEC UN TROISIÈME, FAIRE UN TROISIÈME !

Je viens de parler à la seconde personne : tu, toi ! Serais-tu donc seul concerné ? Seul avec Dieu ?

Non, et voici la seconde chose stupéfiante : tu ne peux susciter la vie seul. Même seul avec Dieu. Vous deux ensemble, cela ne suffit pas ! Ce n'est arrivé qu'une seule fois dans l'histoire de l'humanité. Et pour cause : il s'agissait de faire exister non pas un homme, mais Dieu lui-même en un corps humain, pour une existence humaine. Et c'est la conception virginale de Jésus dans le sein de Marie. (Voir à la fin de ce livre : Le Corps de l'Amour.)

Donc tu ne peux être seul. Il te faut un(e) partenaire, un(e) co-créateur/trice. Il vous faut être deux -trois avec Dieu- pour faire un troisième : vous trois ensemble. Inséparablement. Jamais l'un sans l'autre... Jamais l'un contre l'autre. Jamais l'un en dehors de l'autre. Mais joints l'un à l'autre (con-joint). Liés l'un à l'autre. Faits l'un pour l'autre. Au-dedans l'un de l'autre.

Ceci pour t'arracher à ton égoïsme, à ton autonomie, à ton instinct d'indépendance et de domination. Pour faire

---

5. Toute la musique de la vie est déjà inscrite sur les longues molécules d'ADN. La symphonie de l'existence qui ne cessera de se déployer, commence dès la conception à se jouer. Le Professeur Lejeune aime comparer les 46 chromosomes de départ à 46 cassettes, où se trouve synthétisée toute l'information nécessaire et suffisante pour cette symphonie.

la vie, tu es en état de dépendance radicale, non seulement de Dieu, mais de Dieu à travers cet autre. Tu dois
te laisser compléter, «posséder», «saisir» par un autre.
N'être plus uniquement ton propre maître. Partager,
faire-avec, vivre-avec. Se laisser saisir devrait impliquer
lui appartenir.

Mystère fabuleux! Entre vos mains à tous les deux, il a
été remis! De deux corps, ne faire qu'un seul être, pour
que de cette unité fleurissent et maternité et paternité.

> «Jamais amour n'a trouvé si grande plénitude!
> Jamais joie n'a vibré à pareille amplitude!
> Jamais l'espérance n'a fondé telle certitude!»

C'est fou! Notre sexe nous permet de partager la puissance de Dieu lui-même! Nous lui donnons le moyen de
fabriquer de l'imortalité! Par le sexe, la vie même du ciel
nous pénètre et nous traverse! Oui, qu'y a-t-il donc de
plus sacré au monde?

COMME «LES TROIS» LE FONT: AU-DEDANS D'UN AMOUR

Et parce que c'est ensemble, inséparablement, que
vous deux vous appelez quelqu'un à l'être, à la vie, à
l'existence, vous ressemblez à Dieu [6]. Dieu n'est pas
solitaire: il donne la vie et par son Fils et par son Esprit.
Mais bien sûr, non physiquement, non sexuellement.

---

6. «L'éclosion de la vie est ce par quoi l'homme et la femme
ensemble, ressemblent le plus à Dieu. Les gestes humains qui ouvrent
sur la possibilité d'apparition d'une vie humaine sont par excellence
ceux qui font ressembler l'homme à son créateur.» Mgr Marcuse.
Documentation Catholique, 19 avril 1987.

Tu fais œuvre commune avec un(e) autre, comme le Père, le Fils et l'Esprit font toujours œuvre commune ensemble. Comment le sais-tu ? Précisément en voyant comment chez nous la vie se transmet...

Et cela suppose : faire comme Dieu. Donner la vie, mais à l'intérieur d'un amour, par amour, en vue de l'amour. Dieu, c'est *l'Amour même donnant la vie*. Ou - de manière rigoureusement équivalente- la Vie même suscitant l'amour. Le Père est la source et de la Vie et de l'Amour. La Vie, c'est le Fils. L'Amour, c'est l'Esprit.

C'est en se recevant l'un de l'autre, qu'on reçoit en soi la vie, ou que l'on s'en laisse traverser. C'est en se donnant l'un à l'autre qu'on donne la vie. La vie ne peut n'être et naître que d'un amour. C'est-à-dire d'un don mutuel, et du cœur et du corps. L'*amour* prime à tel point sur la *fécondité* que c'est un en-soi. Il suffit déjà à finaliser le don mutuel des corps. (La preuve est que biologiquement il peut très bien y avoir rapport sexuel sans fécondité.) Mais à la condition qu'il s'agisse effectivement d'un amour vraiment *humain*, c'est-à-dire spirituel avant d'être charnel [7]. Mystère de la vie reçue, donnant elle-même la vie à son tour par surabondance, telles ces fontaines dont les bassins en cascade se remplissent par débordements successifs !

---

7. « La seule relation sexuelle qui soit honnête, parce que généreuse, est celle qui est ouverte à la vie de l'enfant. Comme l'enfant est le grand perdant de notre monde qui se meurt, la relation d'amour de ses parents est la relation oubliée de notre temps. L'amour conjugal est l'amour des conjoints, non des partenaires, de ceux qui se sont joints ensemble. » Georges Allaire.

B. Amour et fécondité : splendide harmonie !

La fécondité, elle, est donnée comme une *surabondance* (l'abondance étant déjà le seul amour), une surcroissance de l'amour. Une plénitude.

L'amour tend par lui-même à s'épanouir, se diffuser, se communiquer, se transmettre, s'épancher, se prolonger en un troisième. Comme une fleur en son fruit.

D'ailleurs, tant qu'elle n'est pas mère, la femme est-elle vraiment femme ? C'est la maternité, comme la paternité -physique ou spirituelle- qui fait passer le seuil d'une certaine maturité.

D'où l'importance pour les couples douloureusement stériles, d'adopter des enfants -et Dieu sait qu'il y en a-et peut-être spécialement des enfants handicapés ; ou de vivre une véritable maternité-paternité spirituelle par ailleurs. Mais nul ne peut vivre sans donner la vie, d'une manière ou d'une autre.

Le rythme même des périodes de fécondité chez la femme manifeste cet étonnant équilibre mis par Dieu en nous. Il montre d'un côté que la sexualité ne peut être débranchée de la génitalité. De l'autre, qu'elle peut s'exercer sans forcément entraîner fécondité [8].

Qui pense aux retentissements -et psychologiques et spirituels- de différences physiologiques majeures, dans le domaine de la fécondité ?

1. Chez l'*homme*, la fécondité est *continue*. (Chaque orgasme est de soi fécond.) Chez la *femme*, elle est

---

8. Amour et fécondité tellement liés l'un à l'autre qu'il n'y aurait qu'un cas sur 1000 de fécondation en cas de viol, car il y a une situation de stress qui bloque l'ovulation, sauf si la femme est inconsciemment consentante.

cyclique (avec un rythme d'ovulation qui, lui-même, varie suivant l'âge). Tout est « mobile » en elle.

2. Chez l'*homme*, elle dure jusqu'à un *âge avancé*. Chez la *femme*, elle ne dure qu'un *certain nombre d'années*.

3. L'*homme* secrète *au fur et à mesure* les spermatozoïdes. *La femme* possède, dès le début, et *une fois pour toutes*, tous les ovules dont elle aura besoin.

Entre bien d'autres conséquences, cela implique un sens du temps différent chez l'un et l'autre [9].

Ce sont ces rythmes qu'il importe de connaître, et qu'il est passionnant de découvrir [10] puisque Dieu a inscrit dans la femme le moyen de connaître sa fécondité. Connaissance qui favorise merveilleusement le respect mutuel des conjoints, et finalement éveille la tendresse, dans un dialogue de couple en profondeur.

---

9. « La femme appartient à une temporalité différente. La durée ne lui est pas continue, comme à l'homme, mais elle est un irréversible passage. Nos mœurs ignorent superbement l'inexorable rythme féminin, et servent, comme elles l'ont toujours fait, la sorte *d'éternité limitée* dévolue au masculin. » France Quéré, *La Croix*, 14-3-1983.

10. « Si l'objet de la sexualité humaine n'avait été que l'obtention du plaisir, on ne pourrait s'expliquer pourquoi la femme est dotée d'un mécanisme aussi complexe que l'utérus, qui se renouvelle continuellement et qui se prépare comme la terre attend la semence. Ou plus simplement « qui met la table dans l'attente d'un invité » et qui, quand l'invité n'arrive pas, est expulsé à l'extérieur, l'endomètre (menstruation) étant maintenant devenu superflu. De même, il serait difficile d'expliquer que l'homme soit pourvu d'organes sexuels secondaires (prostate et vésicules séminales) destinés uniquement à élaborer le « carburant » et adapter le milieu dont le gamète masculin a besoin afin de pouvoir féconder l'ovule. Il est évident que tous ces organes et fonctions n'ont pas de raison d'exister s'ils ne sont que sources de plaisir. » Prof. Montesserat Baneres, coordinateur du groupe médical de recherche sur la RNF à Barcelone. Communication au 9ème Congrès de la Famille. Paris, septembre 1986.

Ce à quoi une Mère Teresa ne cesse de nous exhorter :
« Apprenons comment planifier nos familles d'une façon
simple, pure et belle ! ». Elle fait allusion à la méthode,
technique simple, de repérage de l'ovulation. Et parmi
les différentes méthodes de Régulation Naturelle de la
Fécondité, plus précisément celle du Dr. Billings, médecin australien.

LA RÉGULATION NATURELLE DE LA FÉCONDITÉ (RNF) [11]

Cette écologie des corps, de plus en plus appréciée par
les jeunes permet simplement au couple de savoir quand
il peut transmettre la vie, quand la femme est féconde.
Ainsi, soit il s'abstient s'il pense avec une conscience
éclairée que ce n'est pas la volonté de Dieu d'appeler à la
Vie de nouveaux enfants à tel moment de son existence.
Soit il accepte que Dieu puisse donner à travers eux une
nouvelle Vie, une nouvelle Ame. Il est nécessaire pour la
plupart des couples de pouvoir espacer les naissances, en
fonction de l'équilibre de la famille, tout en gardant une
certaine intimité et en restant ouvert à la Vie [12].

---

11. Une scandaleuse conspiration du silence entoure la RNF, dûe
aux énormes intérêts financiers en jeu : elle porte atteinte au monopole
pharmaceutique. Il n'existe pour l'Europe qu'un seul institut universitaire d'études scientifiques sur la RNF, à Manchester.

12. « Afin de vivre leur sexualité et d'assumer leur responsabilité en
accord avec le projet de Dieu, il est important que les époux aient une
véritable connaissance des méthodes naturelles de régulation de leur
fertilité. Il faut tout faire pour qu'une telle connaissance devienne
accessible à tous les conjoints, et d'abord *à tous les jeunes*, par une
information et une éducation claires, données en temps voulu, et
sérieuses, confiées à des couples, des médecins, des experts. » Jean-
Paul II, *Fam. cons.* n° 33. Et *Orientations...* n° 62.

Dans l'utilisation de cette méthode, l'homme respecte sa femme, car il respecte sa fécondité, il ne lui inflige pas la contraception pour pouvoir assouvir ses désirs. Le couple grandit dans la responsabilité de ses actes, en reconnaissant que Dieu est premier créateur et on lui fait confiance. S'il permet la venue d'un enfant, il nous aidera.

Le but de la méthode Billings est de pouvoir aider le couple à déterminer de manière très précise les périodes fécondes et infécondes de la femme par la sensation et l'observation de la glaire [13]. Elle permet ainsi à la femme de voir venir l'ovulation et la période féconde, au lieu de rechercher l'ovulation. Cela est très important pour celles qui n'ont pas d'ovulation ou bien lorsque l'ovulation tarde à venir.

L'amour conscient des époux permet le rapprochement des spermatozoïdes et de l'ovule. Le reste : la fécondation, la division cellulaire et la nidation sont l'œuvre de Dieu lui-même.

Autre immense avantage de l'*auto-gestion* par un couple de sa fécondité : son *autonomie* totale par rapport à toute ingérence des techniques et son *indépendance* du corps médical (méthodes artificielles de contraception exigeant un rigoureux contrôle médical) [14].

---

13. Dans les jours précédant l'ovulation, sans même que la femme ait besoin d'y penser, le cerveau commande la préparation de la fécondité. Le col de l'utérus commence à produire une secrétion de plus en plus belle -filante et élastique- la glaire cervicale. La femme a, alors, une grande sensation d'humidité et plénitude. La fonction de la glaire cervicale est de recueillir les spermatozoïdes, de les nourrir, de les sélectionner et de les conduire au lieu de la fécondation.

14. Déjà en 1977, l'enquête de l'Université de Fairfield (USA) évaluait l'efficacité de la méthode sympto-thermique dans cinq pays, de plus de 99%, quand elle avait été bien enseignée et que le couple en appliquait les règles de façon conforme et précise. La méthode de double vérification réaliserait un taux d'efficacité encore plus élevé. » Depuis 1983 l'OMS s'intéresse activement à la RNF.

L'ACCÈS À UN MONDE MAGNIFIQUE D'HUMANITÉ !

Surtout, la pratique de la Régulation Naturelle de la Fécondité demande une attitude de fond faite d'oubli de soi, d'immense respect et attention à son épouse. Ceux qui la pratiquent sont unanimes à dire combien elle fait grandir dans ce regard de tendresse profonde porté sur elle [15].

> « Il faut souligner la *sécurité* et la *simplicité* de cette *méthode écologique extraordinaire* qui permet à la femme de se connaître, et de se faire respecter. » (Dr. Henri Joyeux.)
>
> « La chasteté se présente comme le cadeau que nous pouvons offrir à notre conjoint, durant les temps d'abstinence, afin de coopérer avec elle pour une paternité responsable. » (José et Célia de Carredano.)
>
> « Nous avions admiré les merveilles de paix, de patience et d'amour que le choix de cette méthode nous a apportées. » (Un couple de médecins du Nord.)
>
> « Pour notre équipe de travail, l'expérience a permis l'accès à un monde magnifique d'humanité où nous avons rencontré le couple humain qui vit selon « sa vérité intérieure », en découvrant une authentique sexualité où les périodes d'abstinence jouent le rôle d'un *dialogue*

---

15. « Le choix des rythmes naturels comporte l'acceptation du *temps de la personne*, ici du cycle féminin, et aussi l'acceptation du dialogue, du respect réciproque, de la responsabilité commune, de la maîtrise de soi. Accueillir *le temps et le dialogue* signifie reconnaître le caractère à la fois spirituel et corporel de la communion conjugale, et également vivre l'amour personnel dans son exigence de fidélité. Dans ce contexte, le couple expérimente le fait que la communion conjugale est enrichie par les valeurs de tendresse et d'affectivité qui constituent la nature profonde de la sexualité humaine jusque dans sa dimension physique. » Jean-Paul II, *Familiaris Consortio* n° 32.

préparatoire à la rencontre, laquelle, célébrée comme une cérémonie, est vécue dans le bonheur et la plénitude. Voilà la plus grande expression du couple humain, et la possibilité d'un véritable développement pour les riches comme pour les pauvres de tous les continents. Une méthode inoffensive, efficace, ouverte à la vie, promotrice du couple humain, de la famille et de la société.» (Patricio Mena, Espagne.)

UNE MUTUELLE ÉDUCATION QUI REFUSE D'INFANTILISER L'AUTRE

Ce «jeûne sexuel» ne signifie nullement ne pas se manifester de la tendresse. Bien au contraire, il faut être d'autant plus inventif de signes et gestes (même physiques) de tendresse, que pendant un temps elle ne s'exprime pas par l'acte conjugal. Bien des épouses redoutent ces temps de continence parce qu'en fait l'union sexuelle est le seul moment où le mari leur exprime effectivement un peu de cette tendresse qu'elles attendent avant tout de lui. Ils exigent donc qu'il apprenne à manifester plus souvent et autrement combien il l'aime. Qu'il multiplie les petites preuves de son amour [16].

«C'est ici qu'importe le véritable dialogue dans une intimité très étroite qui permette de décider ensemble ce que leurs inclinations parfois inégales selon les jours, peuvent réaliser. Il y a des degrés d'intimité sous le

---

16. A ce propos, l'homme pense-t-il toujours à redoubler d'attention, de délicatesse, pour aider sa femme, chaque mois, à passer les jours de ses règles ? Elle en est souvent indisposée (maux de tête, indigestion, petite fièvre). Son caractère peut s'en ressentir. Elle est plus vulnérable et sensible à tout. Combien d'époux y pensent vraiment ?

regard de Dieu qui, selon les temps, correspondent d'autant plus à la paix des cœurs, qu'ils ont été envisagés dans la connaissance réciproque et la décision commune de l'amour. Seule l'humilité permet de dépasser tout ce qui peut envelopper d'un peu de honte -illégitime- en particulier les gestes qui permettent de connaître la fécondité de l'épouse [17]. »

Si les contraceptifs ont entraîné plus d'asservissement féminin que bien d'autres choses, la RNF représente, par contre, une extraordinaire *émancipation féminine*. Combien de femmes, après des années de contraception artificielle se plaignent de solitude dans le mariage, ont le sentiment d'être utilisées par leur mari. D'où de nombreuses frustrations, avec retombées sur l'ensemble de la vie familiale. Alors que l'abstinence périodique développe la courtoisie naturelle, en favorisant hautement un dialogue en profondeur. « Cette abstinence est pour moi une manière d'aimer. J'en fais l'expérience : parfois un échange peut être plus profond dans un regard que dans une étreinte. » [18]

Penser que ton mari n'est pas capable d'une telle maîtrise n'est-ce pas sous-estimer ses possibilités ? Penser : « Oh, l'homme est bâti comme ça ! Il ne peut s'en passer, le pauvre ! », n'est-ce pas le mépriser ? L'infantiliser ? Le traiter comme un enfant à qui l'on passe tous ses caprices par peur de le contrarier ? L'éduquer doucement mais fermement à te respecter, n'est-ce pas le

---

17. Thierry et Isabelle Boutet, *Je t'aime*. p. 95.
18. « Je suis débordante d'admiration. Je viens de découvrir le fonctionnement merveilleux, fantastique, de mon corps. Et à travers cela, mon Créateur qui a si merveilleusement créé ce cadeau pur que je suis ! » Chantal, 23 ans.

traiter en adulte, l'aider à grandir, à se dépasser, à devenir vraiment, pleinement homme ? [19]

De même qu'entre fiancés, le renoncement aux rapports conjugaux établit de secrètes connivences d'amour, ainsi entre époux cette mutuelle éducation à la chasteté tisse entre eux de nouvelles complicités amoureuses. Et j'ajoute : joyeuses [20].

«MÉTHODES NATURELLES» ET... VIE ÉTERNELLE ?

Ce ne fut pas tout de suite évident. D'abord nous sommes deux, et l'un eut plus de mal à l'accepter que l'autre. C'est normal, car l'homme a physiologiquement une sexualité permanente, il lui est donc plus difficile de comprendre la nécessité d'un rythme de la vie conjugale qu'à la femme pour qui cette périodicité est inscrite dans son corps même. Il y a là une exigence de l'amour, parfois difficile à vivre pour l'époux, mais aussi pour l'épouse par solidarité : se mettre au rythme de l'autre. Mais y a-t-il une dimension de l'amour où l'on n'ait pas à se mettre au rythme de l'autre ?

Mais quand, ensemble, on décide humblement de faire confiance à l'Église parce qu'elle ne nous a jamais trompés et qu'elle a les paroles de la vie éternelle et que *notre*

---

19. Sur une année cela représente seulement soixante jours de fécondité à éviter, si l'on ne veut pas procréer. Qui, s'il est vraiment homme (et non gosse gâté) n'est pas capable de se maîtriser ainsi une moyenne annuelle d'un jour sur six ?

20. «Nous expérimentons qu'une procréation responsable, sans l'utilisation de moyens contraceptifs artificiels, permet une vie sexuelle joyeuse, épanouissante pour les conjoints, et que Dieu bénit par le don d'enfants qu'il appelle et connaît chacun par son nom dès le ventre maternel.» **Pascal Pingault**, fondateur de la communauté du Pain de Vie. Dans *Fioretti du Pain de Vie*, Ed. Le Sarment Fayard, 1987.

amour a quelque chose à voir avec la vie éternelle... quelle richesse on en reçoit ! Bien sûr, les méthodes naturelles de régulation des naissances n'étaient pas, quand nous nous sommes mariés, aussi au point que maintenant. Cela nous a valu la grâce de l'enfant imprévu, véritable cadeau du ciel et accueilli comme tel. A présent que l'examen de la glaire cervicale, introduit par les docteurs Billings, vient compléter la courbe des températures, nous pouvons témoigner de sept années de pratique de cette méthode sans survenue d'enfant : les critiques contre l'efficacité des méthodes conseillées par l'Église nous paraissent donc exagérées.

Et surtout, le dialogue que suppose cette adaptation du couple au cycle de la femme (véritable « promotion » de la femme, puisque c'est son corps qui règle la vie conjugale du couple) est *une source incomparable de communion.* Et quand vient, longue et douloureuse, la maladie de l'un des deux, qui entraîne une longue continence, combien cette abstinence périodique apparaît comme une richesse, parce qu'elle nous a appris à *faire passer le dialogue conjugal par d'autres chemins que l'union des corps.* »

(M.J.M., *Sources vives* 18) »

UNE HARMONIE AVEC CULTURES ET RELIGIONS DU MONDE

La RNF commence à être largement diffusée dans les pays en voie de développement. En Afrique, largement sous-peuplée, contrairement aux idées reçues ou imposées par une certaine idéologie. Aux Indes, elle se répand rapidement sous l'influence entre autres de Mère Teresa. La Chine Populaire a fait un appel officiel à un groupe d'experts pour y ouvrir les différents centres de planning familial à travers le pays. (Cette Chine ou l'on n'entend jamais parler de bébés conçus au-dehors du mariage repoussé en général à 25 ans... Chine qui ne connaît pas la pornographie et très peu de drogue et de prostitution.)

Il s'avère que la RNF se trouve être en harmonie avec les cultures et religions de la plupart des pays du monde.

CHOISIR LA VIE SANS RIEN DÉTRUIRE

Déjà Gandhi n'affirmait-il pas :

« Le monde dépend, pour sa survivance, de l'acte de procréation, et comme le monde est le terrain de jeu de Dieu et le miroir où se reflète sa Gloire, l'acte de procréation doit être contrôlé pour que la croissance du monde s'effectue dans l'ordre. Qui comprend bien cela, maîtrisera coûte que coûte le désir charnel, se nantira de la connaissance nécessaire au bien-être corporel, mental et spirituel de sa progéniture, et étendra le bénéfice de son expérience à la postérité. » [21]

Et Mère Teresa de Calcutta :

« Le monde sera surpeuplé si nous oublions de nous aimer. Et nous avons des moyens qui amènent l'amour ; par exemple la méthode naturelle de régulation des naissances que nous enseignons aux gens des taudis, aux lépreux, à tous ceux avec qui nous travaillons. Nous

---

21. Gandhi a eu quatre fils, dont le dernier est né en 1900. Après cette quatrième naissance, il a beaucoup réfléchi sur les exigences de la sexualité dans le couple, et au cours de l'été 1906, il a annoncé à son épouse, Kasturbai, qu'il faisait vœu permanent de *brahmacharya,* le serment de continence.

avons des milliers de familles qui ont adopté les méthodes naturelles et qui nous en sont très reconnaissantes
parce qu'elles disent que leur famille est restée unie,
qu'elle est saine et qu'elles peuvent avoir un enfant
quand elles veulent. C'est quelque chose de très beau.

Partout où nous avons des sœurs, nous enseignons
cette méthode. En Europe, en Amérique du Sud et aux
Etats-Unis, là où la méthode est connue, elle est acceptée. En Inde, il y a maintenant beaucoup de familles qui
peuvent choisir le nombre de leurs enfants sans rien
détruire [22]. C'est pour cela que vous avez beaucoup
d'avortements, beaucoup plus que nous en avons en
Inde. En Inde, nous avons cet amour et ce respect de
l'enfant qui commence à disparaître en Europe. Ils veulent du plaisir et ne veulent pas d'enfants. Je ne donne
jamais un enfant à une famille qui a fait quelque chose
pour détruire la vie. [23] »

Et cela nous amène à parler du grand drame contemporain où ici encore, Eros et Thanatos s'enlacent.

Qu'on pardonne cette sinistre parenthèse. Mais,
comme pour les perversions de la sexualité, que ces
détournements de la vie, nous en fassent -en négatif-
mieux percevoir la splendeur.

---

22. Au 11ème Congrès international de la Famille (Bruxelles, mars
1988) le Dr. Zhang De-Wei, directrice du Planning familial de Shan-
gaï, nous disait combien la RNF paraissait prometteuse pour l'ensemble de la Chine.

23. Bangkok. 24 Août 1988. Conseil des Organ. intern. des sciences
médicales. *En espaçant les naissances sans que la mère ni l'enfant n'aient
à supporter des effets collatéraux, les méthodes naturelles abaissent le taux
de la mortalité infantile.* Avec une hygiène efficace, une diète et des
soins, l'espacement naturel des naissances permet un meilleur développement de l'embryon et, en conséquence, *une amélioration de la santé
post-natale.* Pour ce qui est de la mortalité infantile, les méthodes naturelles ont pour avantage d'éviter les divers «effets collatéraux» dangereux des substances et des dispositifs contraceptifs.

2

AMOUR ET VIE DÉCONNECTÉS :
VIOLENCES CONTRE-HUMANITÉ

En Dieu, amour et vie sont radicalement inséparables, tellement ils sont intérieurs l'un à l'autre. Arracher l'amour à la vie, ou la vie à l'amour, est donc une violence contre-humanité, parce que contre-Divinité. C'est brutalement, ou insidieusement, séparer en l'homme ce que Dieu lui-même a uni, en Lui comme en nous.

Cette déconnexion entre sexualité et fécondité prend deux formes majeures :

1. *Ex-primer* l'amour en *ex-cluant* la vie : les méthodes contraceptives ou abortives.

2. *Fabriquer* la vie en *falsifiant* l'amour : les techniques médicales de procréation.

A. Ex-primer l'amour en ex-cluant la vie : flirt avec la mort ?

a) La fécondité jugulée ou la tactique défensive

Rien n'est grand comme la fécondité et on ne sait que faire pour la juguler !

Au lieu de se fier à l'équilibrante harmonie naturelle entre sexualité et génitalité, on fait tout pour éviter que l'amour exprimé aille jusqu'à la vie donnée !

Et ce sont les relations sexuelles excluant volontairement la fécondation... Soit définitivement : la stérilisation aussi bien de l'homme que de la femme ! Véritable mutilation de leur masculinité ou de leur féminité. Amputation de leur être le plus profond. Camouflet à tous ceux qui rêvent d'avoir des enfants et ne peuvent en avoir. Soit temporairement, ou de manière plus ponctuelle : différents contraceptifs, stérilets, préservatifs, spermicides... si ce n'est le *slow down pill* [23]. Sans parler de tous les trucs, non artificiels mais tout aussi non-naturels (onanisme, etc). Et quand tout cela a été négligé, ou s'est avéré inefficace, l'ultime recours à l'escalade contre la vie : l'avortement.

UNE PHOBIE DE LA VIE ?

Décidément, on ne sait pas quoi inventer pour éviter à tout prix l'éclosion de la vie ! Comme si c'était la pire des catastrophes ! Derrière cette véritable phobie -tournant à l'obsession- se profile tout simplement une peur panique de la vie tout court. Symptôme du dégoût général de vivre. On refuse de donner la vie, parce que -inconsciemment- on panique soi-même devant la vie. Parfois une générosité s'y manifeste, mais n'est-ce pas un prétexte ? On ne peut pas prendre le risque de mettre au

---

23. Le « 08 slow down pill » vient d'être mis au point pour congeler le fœtus in-utero, jusqu'à ce que la mère décide de reprendre sa grossesse, laps qui peut aller de quelques mois à quelques années !

monde des enfants qui devront vivre une époque terriblement dure, sur laquelle planent tant de menaces. Mais
toutes les époques ne sont-elles pas sombres en perspective ? En ce cas, jamais tu n'aurais dû naître ! N'est-ce
pas manquer de confiance en ce Créateur qui sait pourquoi et quand Il donne de donner la vie, et qui veillera
sur eux, comme Il a veillé sur toi ?

Ou bien c'est la peur, tellement compréhensible et
donc respectable, d'avoir un enfant « anormal ». Mais
quelle est la « normalité » de la vie humaine ? Et à côté
de tant de drames réels, n'y a-t-il pas aussi le bonheur
qu'ont connu tant de parents à élever avec amour, un de
ces enfants que le monde rejette ?

UN IMPÉRIALISME OCCIDENTAL ?

Cette peur et de vivre et de transmettre la vie, est
propre aux pays saturés d'Occident. C'est dans les pays
riches que l'enfant est presque un malheur, sinon une
malédiction. Dans les pays de la souriante pauvreté -
ceux du Tiers-Monde- l'enfant est toujours reçu comme
une merveilleuse bénédiction de Dieu, comme un cadeau royal : fierté d'un peuple, honneur de la famille,
avenir de la lignée, bonheur des parents, joie des frères
et sœurs. Les programmes internationaux de limitation
artificielle des naissances - pilule imposée ou stérilisation obligatoire (comme déjà en Chine, aux Indes) - ont
d'abord été perçus dans le Tiers-Monde comme une
agression de l'impérialisme occidental, un moyen de dé-
cîmer les peuples, peur de leur prochaine expansion

mondiale [24]. Ils ont parlé de néo-colonialisme. A leurs yeux, c'était la solution de facilité donnant bonne conscience aux pays riches : cela coûte moins d'inonder le Tiers-Monde de pilules et d'injections stérilisantes, que de développer l'économie de ces pays et de réviser l'équilibre monétaire mondial, dans le renoncement pur et simple aux privilèges économiques des «pays du Nord», qu'ils soient socialistes, marxistes ou capitalistes. La grande lettre du pape Paul VI mettant en garde -sans savoir que la médecine le confirmerait un jour- contre les méthodes contraceptives a été acclamée là-bas, comme libératrice [25]. Elle était prophétique.

UNE BMW, ÇA VAUT BIEN UN BÉBÉ !

A un niveau de société, cette peur bleue de donner la vie est le résultat de l'hédonisme généralisé : de la recherche effrénée, à tout prix, du confort et de la facilité [26]. Et le plus grand prix payé, c'est précisément l'en-

---

24. De fait, si la dénatalité galopante de l'Occident continue au rythme actuel, en 2025, la population globale de l'Europe ne représentera plus que 5% de la population mondiale, pendant que la Chine et les Indes auront environ 2 milliards d'hommes à eux seuls.

25. Voir les propositions des pays non-alignés, à la Conférence internationale sur la population. Bucarest 1974.

26. Il suffit d'entendre les raisons invoquées pour justifier une IVG (citations texto de différents magasines) :

«La seule chose qui puisse nous faire changer d'avis, c'est que je gagne au tiercé dimanche». «Je ne veux pas le garder : nous avons loué aux sports d'hiver pendant les vacances de février. »

«Si nous n'avions pas les traites de la voiture, nous garderions certainement cet enfant. »

fant possible. Une BMW vaut bien un bébé, une cara-
vane (à deux bien sûr) vaut bien une famille ! On l'affi-
che : « Six cylindres qui vrombissent plutôt qu'un gosse
qui crie ! » Résultat, mais aussi cause de cet égoïsme
généralisé : parce qu'on peut si facilement faire l'économie des enfants, alors on peut tout se permettre par
ailleurs. Et la consommation y gagne ! Encore qu'elle y
perd sur l'autre tableau : fermetures d'écoles = chômage
du corps enseignant, des industries pour enfants.

L'ÉGOCENTRISME À DEUX : CERCLE VICIEUX DE PETITS VIEUX !

A un niveau *personnel*, le refus de donner la vie, n'est-
ce pas de l'*égo-centrisme à deux* ? Sénilité prématurée.
Affectivité déviée. Pathétique : on ne peut vivre sans
donner de l'amour à plus faible que soi. Si ce n'est pas un
bébé, ce sera une poupée. Si ce n'est pas un enfant, ce
sera un chat ! [27] Ici encore la peur : peur de l'aventure,

« Nous sommes pris à la gorge par le crédit : nous avons acheté le
divan, le frigidaire, la machine à laver... le gosse, dans un an ou deux
peut-être. Mais pas maintenant. »

Le Dr. Renate Köcher (RFA) conclut : « C'est un problème
d'égoïsme. »

27. Je connais un couple dont l'épouse refuse catégoriquement
d'avoir des enfants. Résultat : elle bichonne et cajole un chien comme
rarement une mère le ferait pour son enfant ! Drame d'un monde
occidental qui prend plus de soin pour ses animaux domestiques que
pour ses enfants ! Chiens et chats coûtent à la France plus qu'elle ne
dépense pour le Tiers-Monde. On voit déjà des poupées « soignées »
par des « puéricultrices » ou des « infirmières » en blouses blanches.
Vendues avec certificat de santé, même... de baptême (sic ! ! !) On vient
de lancer le projet d'un parc de loisirs pour chiens ! (France-Inter, 16
novembre 1987).

de l'inédit, de l'imprévu. Un enfant, ça vous arrache à votre petit train-train quotidien, monotone et morose. Vieillissement précoce : ce sont les vieux qui ont peur de l'aventure, qui se méfient de la nouveauté. Peur de se dépasser, de se surpasser. Un enfant, ça désinstalle, dés-embourgeoise. Il te force à t'oublier toi-même, à donner le meilleur de toi-même. Il te faut l'entraîner, et donc vivre à la hauteur de ce qu'il attend de toi, de ce qu'il est. Plus facile de l'éviter d'avance, que de prendre les risques de l'affronter. Peur encore d'assumer des responsabilités, lourdes, exigeantes. Là, c'est le contraire de la sénilité : c'est la non-maturité, l'infantilisme. Et «l'infantilisme», c'est le contraire de l'esprit d'enfance. S'amuser soi : tant qu'on veut. Assumer un enfant-roi : jamais de la vie !

Bref, *désespérer de la vie, c'est mutiler sa propre vie !*

Tristesse que ces relations où plane la peur panique qu'une vie puisse en découler ! A ce stade, l'amour tourne en rond : cercle vicieux. Surtout quand la fécondité est refusée a priori et définitivement. L'amour ne jaillira jamais dans la surabondance de la vie. Ne reste qu'un amour rabougri et racorni. *Sénile* parce que *stérile*. La vraie joie, celle d'être source, peut-elle encore passer ? [28] Un certain amour (plutôt qu'un amour certain) peut bien être encore exprimé, mais un germe d'égoïsme est là, dans le fruit. On accepte un partenaire, mais on refuse un tiers, dont on serait père ou mère.

Ce qui, bien sûr, ne vise nullement la *stérilité involon-*

---

28. Ce qui ne veut nullement dire qu'il faille avoir le plus d'enfants possible, que l'on serait d'ailleurs incapable d'élever convenablement. Mais ici, on en revient à l'équilibre d'une génitalité responsable avec les moyens naturels de contrôle de la fécondité.

taire. Celle-ci n'est une telle souffrance qu'à cause d'un immense désir de donner la vie. Désir qui ne sait quoi inventer pour donner vie et amour d'une autre manière. Et Dieu sait si une stérilité offerte, consentie, dans l'humble dépendance au maître de la Vie, peut se transformer en merveilles de fécondité spirituelle, à travers une adoption, par exemple. J'en ai tant de preuves !

Sur ce point, l'Eglise tient magnifiquement les deux bouts de la chaîne. D'un côté, elle affirme qu'un mariage n'est pas valide, quand il y a exclusion volontaire et par principe du droit à l'enfant, refus explicite de la fécondité, même par un seul des conjoints (tellement la procréation est liée à l'amour !). Mais, de l'autre côté, elle maintient la validité absolue du mariage quand il y a stérilité non voulue, impossibilité à engendrer (tellement le mystère d'alliance entre deux êtres ne peut se réduire uniquement à la fécondité). Ce qui compte en définitive, c'est la libre volonté que l'amour s'épanouisse en vie donnée [29].

---

29. « L'ordination à la procréation est constitutive du mariage. La procréation effective ne l'est pas. Si un mariage, parce que stérile, n'était pas un sacrement, celui-ci serait mesuré par les limites de la puissance de vie donnée à l'homme. L'alliance et l'amour seraient réduits à la plénitude sexuelle. Mais si l'homme exclut librement de participer activement à la création de l'homme, il n'y a pas de mariage, car l'homme refuse que l'Amour et l'Acte créateurs suscitent en lui l'amour qui s'est livré à lui, comme puissance procréatrice. Faire dépendre la réalité du mariage de la non-stérilité des époux, c'est réduire un consentement libre aux données biologiques : c'est évacuer la liberté de l'amour. Mais exclure la vocation à la procréation, en lui imposant l'intransigeance d'un refus, c'est soumettre l'action créatrice à sa mesure humaine : c'est évacuer sa finitude face à Dieu. » Albert Chapelle. *Sexualité et sainteté*, p. 232.

LA CONTRACEPTION : CONTRAVENTION DE LA VIE

Quelques précisions sont ici nécessaires sur les différentes méthodes contraceptives. D'un point de vue humain et spirituel elles sont de plus en plus ressenties comme une agression par l'homme, une humiliation de la femme. [30]

> « En s'habituant à des pratiques anticonceptionnelles, l'homme risque de perdre le respect de la femme et sans plus se soucier de son équilibre physique et psychologique, n'en vienne à la considérer comme un simple instrument de jouissance et non plus comme sa compagne respectée et aimée. » (Humanae Vitae).

Laissons simplement la parole à notre Jean-Paul II :

> « Quand par la contraception, les époux enlèvent à l'exercice de leur sexualité conjugale sa capacité potentielle de créer, ils s'attribuent un pouvoir qui n'appartient qu'à Dieu : le pouvoir de décider en ultime instance la venue à l'existence d'une personne humaine [31].
>
> Dans cette perspective, la contraception doit être jugée, objectivement, si profondément illicite qu'elle ne peut jamais, pour aucune raison, être justifiée. Penser ou dire le contraire équivaut à retenir que, dans la vie humaine, peuvent exister des situations dans lesquelles il serait licite de ne pas reconnaître Dieu comme Dieu.
>
> Retenir qu'il existe des situations dans lesquelles il ne soit pas, de fait, possible pour les époux d'être fidèles à toutes les exigences de la vérité de l'amour conjugal

---

30. Voir « *Amère pilule* » (éd. Œil. 1988) du Dr *Ellen Grant*. Livre extraordinaire honteusement boycotté par le lobby éditorial en France.

31. « La contraception devrait être dénoncée comme étant un mal inexprimable, ou un acte blasphématoire, reniant la puissance de création de Dieu. » Kevin Hume, professeur d'obstétrique à l'université de Sidney.

équivaut à oublier cet évènement de la grâce qui caractérise la nouvelle alliance : la grâce de l'Esprit-Saint rend possible ce que l'homme, laissé à ses seules forces, ne peut pas faire. Il est nécessaire, pourtant, de soutenir les époux dans leur vie spirituelle, de les inviter à un recours fréquent aux sacrements de la pénitence et de l'Eucharistie pour un retour continuel, une conversion permanente à la vérité de leur amour conjugal. » [32]

Ces positions, en apparence tranchantes sont en fait prophétiques, aujourd'hui confirmées par la science [33].

POINT DE VUE MÉDICAL [34]

Des médecins de plus en plus nombreux se rendent compte des effets toxiques redoutables des produits de contraception, souvent diagnostiqués 15-20 ans après usage.
— Effets secondaires physiques :
Dermatologiques, vasculaires, métaboliques, infectieux. Fréquence des hémorragies du premier trimestre de la grossesse chez les femmes qui avaient pris la pilule

32. *Familiaris Consortio*.
33. C'est dans les pays anglo-saxons qu'ont été effectuées les enquêtes les plus sérieuses. Après sept enquêtes épidémiologiques, la *« Food and Drug Administration »* (FDA) a publié un rapport très critique. En Angleterre, une enquête portant sur 2 600 000 cycles d'exposition a été dirigée par le *« Royal college of general pratitioners »»* (RCGP) : 1400 médecins y ont participé. La France est terriblement en retard dans ce domaine. Ces recherches n'y ont eu que peu d'échos. Cette désinformation explique qu'elle est le pays de consommation maximum de la pilule, alors qu'aux USA, elle est en forte baisse.
34. Ceci est d'une telle importance qu'une annexe sera consacrée à ce problème majeur ainsi qu'aux effets secondaires du stérilet. Voir pp. 239-250.

pendant plusieurs années (avec avortement spontané fréquent). Il y a peut-être là une relation de cause à effet.

De plus la secrétion d'œstrogènes et d'androgènes chez la très jeune fille limite sa possibilité de croissance. Des milliers de stérilités primaires irréversibles en sont la conséquence.

D'ailleurs comment s'étonner qu'un processus aussi complexe et délicat que celui de l'ovulation ne soit pas profondément perturbé sinon *détruit* par l'ingestion, pendant des années de substances chimiques, dont le but est précisément de contrer les processus naturels.

Certaines pilules ont été incriminées dans le développement du cancer du sein [35].

— Effets secondaires psychologiques :

Autrement plus graves et pernicieux que les premiers. Frigidité, extrêmement fréquente, dûe certainement pour une part à la banalisation de la sexualité et pour une autre part à l'action centrale des œstro-progestatifs.

---

35. 28% des cancers féminins. 8 à 9000 décès en France, 37 300 aux USA. Première cause de décès chez la femme aux USA. Il touche 7% des femmes. «La consommation de la pilule a provoqué un rajeunissement de la population atteinte de cancers du corps utérin. Ainsi les contraceptifs oraux de type séquentiel ont été retirés du marché par les laboratoires. Le DES a été définitivement interdit en 1975 pour la femme, en 1980 pour les animaux. Les contre-indications de la pilule sont de plus en plus larges, bien que des labos pharmaceutiques poussent à la consommation par l'intermédiaire des centres de planning, diffusant des informations tendancieuses... Au-delà de deux ans de consommation, la pilule est dangereuse chez les moins de 32 ans. Prise avant 25 ans, et pendant plus de cinq ans, la pilule, surtout celle dosée en progestatif, augmente le risque de cancer du sein. Il est vraisemblable que sans stimulation hormonale, les cellules cancéreuses restent au repos et ne donnent pas de tumeurs.» Prof. Henri Joyeux. Directeur du laboratoire de cancérologie expérimentale de l'université de Montpellier.

En outre, la plupart des femmes, au bout de plusieurs années, ont du mal à supporter de prendre une pilule tous les soirs : les oublis sont nombreux ; certaines utilisent des stratagèmes très variés pour penser à la prendre.

La victoire sur le déterminisme physiologique qu'ont représentée ces méthodes artificielles a entraîné un déterminisme psychologique, bien plus contraignant. Combien en sont devenus obsédés, enchaînés : esclaves de la « pilule ». On n'ose plus s'en passer !

A cette réelle toxicité, se joint le fait qu'ils ne sont pas fiables à 100%.

> « Ils donnent à la femme la fausse sécurité d'être protégée contre une grossesse. Et lorsque l'enfant paraît, la femme a le sentiment d'avoir été trompée, et l'enfant est ressenti comme un échec thérapeutique par le médecin lui-même. » (Dr. Etienne Lézy, Pas-de-Calais.)

De plus en plus de jeunes se rendent compte aussi de l'anomalie d'avoir recours à un moyen aussi lourd de conséquences à long terme. Cela 360 jours par an, pour « juguler » 60 jours de fécondité annuelle ! Aussi beaucoup se tournent-ils vers les méthodes de régulation naturelle de la fécondité. Ils estiment simplement qu'il est mal-sain « de prendre un médicament chaque jour » et se mettent en recherche d'une méthode écologique simple ne violentant pas la nature. D'autres soulignent que « les malaises physiques ne sont que le reflet d'une peur, d'un rejet profond ». Enfin, un grand nombre (22% lors d'un récent sondage) trouve que cette intrusion de la technique « dépoétise » l'amour. Et pour cause !

Mais ce qu'on peut dire aussi, c'est que l'usage ponctuel de contraceptifs peut n'être qu'une étape, dans le cheminement d'un amour, vers cette maîtrise de soi, par ailleurs désirée. Telles des béquilles, dont on voudrait bien finir par se passer. Comme des pauvres, on reconnaît ses limites, ses faiblesses. Et Dieu voit avec miséricorde ce cœur de pauvre [36].

b) *La fécondité interceptée ou la tactique offensive* [36b]

L'IVG : INTERRUPTION D'UNE VIE QUI GRANDIT DEVENUE VIE GÊNANTE !

Jusqu'ici c'était la *tactique défensive* : *éviter* la vie, la

---

36. Au langage qui exprime naturellement la donation réciproque et totale des époux, la contraception oppose un langage objectivement contradictoire, selon lequel il ne s'agit plus de se donner totalement à

l'autre ; il en découle non seulement le refus positif de l'ouverture à la

vie, mais aussi une falsification de la vérité intérieure de l'amour conjugal appelé à faire don de la personne tout entière.» *Familiaris Consortio.*

36b Pendant la campagne pour légaliser l'avortement en Belgique (1990), des jeunes partout se sont mobilisés courageusement, pour sensibiliser la population. Les «jeunes pour la vie» organisaient conférences-débats, et pélerinages d'une icône de Marie dans les familles. «L'école Jeunesse-lumière» lançait une vaste opération ORSEC, *«un Avent pour la vie».* (Une petite feuille photocopiée était expédiée, avec l'aide d'amis, le soir, à 22 000 adresses.) Innombrables les initiatives de jeunes, montant au créneau, pour défendre la vie. Pied à pied leur pays, leur peuple, menacé en son existence même par cette offensive de la mort, pour défendre coûte que coûte la vie. Et finalement *pour protéger Dieu.* En chaque enfant mort-né, menacé par les Hérodes d'aujourd'hui, c'est *Dieu-enfant dans le sein de Marie,* qui est visé.

contourner [37]. On ne la détruit pas : on l'arrête. Ce n'est pas le naufrage, simplement le barrage. Mais cela ne suffit pas. Quand par hasard la vie est tout de même arrivée à se frayer un passage et que tout à coup, elle est là, alors on passe à l'*offensive*. On contre-attaque. On la poursuit. Aussitôt donnée, aussitôt arrachée ! On détruit ce qu'on a fait. On retire ce qu'on a donné. *Victoire de la mort, là même où la vie vient d'éclore.*

Ce berceau qui devient tombeau...

Inventés par le prince du mensonge, les slogans publicitaires : « L'avortement est l'œuvre de vie et d'amour... Pas plus grave qu'une dent arrachée... » [38] C'est du fiel. Un esprit de mort rôde autour de nos maisons, s'infiltre dans l'intimité de nos corps, atteint la vie dans l'œuf (et ici, ce n'est pas une figure de style !) : l'enfant dans le premier berceau de son existence.

Durant le grand Congrès pour la Famille à Paris, en septembre 1986, Mère Teresa a fait craquer, l'une après

---

37. Homosexualité, animalité, sont aussi prônés comme moyens efficaces de détourner la sexualité de la fécondité : en la re-tournant sur elle-même. Ils font partie des programmes officiels de certains organismes luttant pour le malthusianisme généralisé. Margaret Sanger, fondatrice du très puissant IPPF (*International Planned Parenthood Federation*) écrivait : « La plus grande œuvre de miséricorde qu'une famille puisse faire en faveur d'un de ses enfants, c'est de le tuer »... (Sa clinique de New-York pratiquait dès 1975, 200 avortements par semaine. Elle a créé 1600 « cliniques actives » dans diverses écoles secondaires des USA.) Voir le Tome I, *Ton corps fait pour l'amour*, chap 1 : « Une horreur ! Réveille-toi ! »

38. Nadia, 16 ans, vient de m'envoyer des petites phrases, glanées dans différents magazines : « Une femme est plus traumatisée par les enfants qu'elle a mis au monde que par ceux qu'elle a supprimés. » - « Moi j'y suis passée ; j'aime mieux ça que d'aller chez le dentiste. » - « Ce n'est pas un enfant. Nous ne l'avons pas désiré. Il n'y a pas de relations entre lui et nous. »

l'autre, deux de ses traductrices. Aux écouteurs, nous devinions des larmes étranglant leur voix lorsqu'elles durent traduire :

> « Le petit enfant à naître est devenu la cible visée pour détruire la présence de Dieu. L'avortement est devenu le plus grand destructeur de la paix, parce qu'il détruit la présence de Dieu. Car n'importe quel petit, vous et moi, avons été créés par la main aimante même de Dieu. »

Et parlant des mères lépreuses ne pouvant embrasser leur petit :

> « Cet amour maternel est si tendre ! Je ne comprends pas comment une mère peut tuer son propre enfant. Je ne peux pas comprendre ce qui arrive à son amour, à son cœur, car la mère est le cœur de la famille... Et si une mère peut tuer son propre enfant, que peuvent faire les autres, sinon s'entre-tuer ? »

Et pourtant, qu'est-ce que c'est banalisé ! Au point que la conscience générale en soit littéralement chloroformée ! Et chloroformé, il faut l'être pour ne pas en réaliser toute l'horreur. Anésthésie de la vie !

On dit rarement la souffrance, parfois atroce, que subit alors un enfant, surtout à partir de la huitième semaine. Certaines méthodes frisent la boucherie [39]. Les

---

39. Procédés d'avortements :

— Après dilatation du col utérin, il suffit au chirurgien d'introduire dans l'utérus un couteau courbé et de découper le corps de l'enfant. Alors, après, l'infirmière doit rassembler les morceaux pour voir s'il n'en manque pas.

— Procédé de la méthode saline : une longue aiguille, à travers l'abdomen de la mère, plonge dans le liquide amniotique et y introduit une solution concentrée de sel. L'enfant avale ce poison et s'intoxique peu à peu. L'agonie dure environ une heure. Après, le « travail » de la

avorteurs se rapprochent des tortionnaires. Cruauté, cynisme et violence y sont simplement aseptisés. Il faut oser parler de *sinistre charcutage* [40]. C'est pourquoi vient d'être mise au point(???) la pilule abortive RU 486 ou «mifégyne» du Professeur Baulieu, dont le lancement a été triomphalement proclamé pour le jour de Noël 1987! Coïncidence? Cet «anti-nidatoire» est une atroce «bombe chimique». Nouvel Hiroshima!

LA PLUS DOULOUREUSE DES BLESSURES FAITES À L'AMOUR

Comprends-tu mieux maintenant à quel point c'est un acte atroce, littéralement criminel?

1) C'est tuer un être qui existe, qui commence déjà à sentir, penser, souffrir et aimer.

2) Une personne dans son maximum de fragilité, de faiblesse, de vulnérabilité. Incapable de se défendre. Désarmée devant l'arbitraire, l'injustice et la haine.

3) Une personne *éternelle*, par le fait même qu'elle a reçu, dès le premier instant où elle a été conçue, une âme

---

mère commence et elle accouche, 24 heures plus tard, d'un cadavre de bébé tout recroquevillé et de couleur roussâtre.

Et dans les pays du Tiers-monde, loin de tout hôpital, cela se fait parfois de manière sauvage, avec les méthodes on ne peut plus rudimentaires qu'on n'ose même pas décrire ici.

40. Si l'on réagit (encore) si fortement devant l'horreur de la suppression des handicapés et vieillards, c'est qu'un jour nous risquons tous de le devenir. On se défend d'avance! Mais, pour les enfants avortés, nous ne sommes pas touchés: nous ne rentrerons plus dans le sein maternel. Nous sommes hors-circuit, hors-danger!

qui ne peut pas mourir [41]. Et cela veut dire que l'enfant, une fois rejeté de cette vie, passe de « l'autre côté des choses », et naît à sa vie éternelle, comme chacun de nous. Dieu l'accueille, là où les hommes l'ont refusé.

Parce que cette âme éternelle, il la tient de Dieu même, sa vie du même coup *ne dépend que de Lui*, seul Maître et de sa vie et de sa mort. C'est à Lui d'en choisir l'heure. Et non aux hommes, même aux parents, a fortiori aux médecins, d'en décider arbitrairement.

4) Rejeter cet inestimable don que Dieu lui a fait de la vie, c'est *refuser la confiance* que Dieu a faite à ses parents. Ceux-ci ont comme provoqué ce cadeau fou de l'existence, et voici qu'ils le rejettent. Ils détruisent ce que Dieu a fait par eux, en eux, et avec eux. On rejette brutalement, sauvagement, ce qu'on a commencé par recevoir, sinon par accueillir, parfois par désirer.

5) Qui pense alors au bouleversement de Dieu ? Lui pour qui cet enfant était déjà quelqu'un d'unique au

---

41. Le Comité Consultatif National d'Ethique rejoint la position de l'Église, lorsqu'il déclare : « Considérant que nombre de propriétés bio-physiques de l'être personnel apparaissent de façon progressive au cours du développement de l'embryon, mais que, dès sa conception, ce développement vers l'être personnel a commencé, le comité a posé dans son premier avis le principe selon lequel l'embryon doit être reconnu comme une personne humaine potentielle L'embryon humain, dès la fécondation, appartient à l'ordre de l'*être* et non de l'*avoir*, de la personne et non de la chose. Il devrait être considéré comme un sujet en puissance. » (Rapport éthique, 15 décembre 1986.)

Mais Rome précise : « Les conclusions scientifiques sur l'embryon fournissent une indication précieuse pour discerner rationnellement une *présence personnelle* dès cette première apparition de la vie humaine : comment un individu humain ne serait-il pas une personne humaine ? » Et de conclure : « Dès le moment de sa conception, la vie de tout être humain doit être absolument respectée. » *Donum Vitae*.

monde, déjà follement aimé. A qui Jésus avait déjà pensé au long de sa Passion et sur sa Croix, pour qui Il a versé son Sang ; cet enfant qui pouvait devenir peut-être un génie, en tout cas un saint, une sainte. Les Thérèse, les Saint Bernard, les Don Bosco, les Mère Teresa de demain, pourquoi donc les massacrer par millions ?

6) Ce n'est pas seulement le Cœur du Père qui en est transpercé, mais l'amour même de l'homme et de la femme, par qui la vie lui était venue. Supprimer le fruit d'une fécondité, c'est *blesser l'amour même qui en a été l'origine*. En brisant l'effet, on atteint la cause. Tout avortement est parjure à l'amour. IVG = Interruption Volontaire de la Grâce ?

BLESSURE QUE SEUL L'AMOUR PEUT GUÉRIR

7) On dit fréquemment combien un avortement peut-être physiquement dangereux (1 décès sur 100). Mais on ne dit jamais combien le cœur d'une femme peut en être blessé en profondeur. Souvent elle demeure traumatisée pour longtemps, sinon pour la vie [42]. J'ai vu tant de

---

42. Certains médecins ont des propos très durs sur les conséquences psychologiques de l'avortement : « L'effet d'un avortement est irréversible, tant sur le plan biologique que psychopathologique. On a dit qu'il pouvait se comparer à ce qui se passerait si on jetait une femme sous les roues d'un train rapide. Elle se désintègre. Elle ne peut se soumettre entièrement, qu'elle en soit consciente ou pas. C'est la dépression avec un sentiment de culpabilité qui mine la responsabilité... La mise à mort de l'enfant pèse d'un poids très lourd sur ceux qui l'ont détruit. Ces effets sont indélébiles. » Dr. Wanda Poltawska, docteur en psychiatrie (Université Jagelon de Cracovie). Communication au 9ème Congrès de la Famille. Au 10ème Congrès (Madrid 1987), le Dr Furch (psychothérapeute, RFA) constatait : « Le poids de la culpabilité qui suit toute femme à l'issue d'un avortement est pour la vie entière. » Aux USA, un institut a été ouvert pour les femmes psychologiquement atteintes par un avortement.

femmes n'arrivant pas à s'en remettre ! S'effondrant en larmes dès qu'elles en entendaient parler, parfois des années plus tard. Incalculables les répercussions souterraines, en son être le plus intime, en tant que source de vie, faite pour donner et protéger la vie ! Seul Jésus, en son Pardon, demandé et donné, est capable de guérir de telles blessures ! Il le fait par l'intervention de sa Mère qui répand un baume de tendresse sur des blessures à ce point profondes. Et qui seule peut redonner le sens et de l'amour et de la maternité.

Une chose qui peut beaucoup aider à cette guérison du cœur : savoir que nous pouvons l'engendrer à sa vie éternelle, en priant pour que Dieu le prenne dans la plénitude de son bonheur et de sa Gloire. Car il en va comme pour toute naissance : le nouveau-né met un peu de temps pour que ses yeux s'acclimatent à la lumière. Voir le visage de Dieu sans être aveuglé par son éclat, cela prend du temps. Et par notre prière, nous pouvons hâter ce moment merveilleux. C'est ainsi que les mamans qui ont vécu -parfois subi- le drame de l'avortement, et qui en demeurent profondément blessées peuvent faire pour ce petit de leur chair, sinon de leur cœur, ce qu'elles n'ont pas fait -ou pas pu faire-pour lui sur la terre. Elles peuvent expérimenter une maternité spirituelle ; l'enfanter à sa vraie vie, à sa vie en Dieu. alors, cet enfant à son tour, pourra prier pour ses parents. Et un jour il les accueillera au Ciel : « Maman, Papa ! Vous êtes toujours ceux qui m'avez donné la vie ! Je vous ai tout pardonné. Vous ne saviez pas ce que vous faisiez ! J'ai imploré pour vous le Pardon de Dieu ! Et maintenant, je vous accueille chez moi, chez vous, chez Dieu. Vous n'avez pas voulu de moi sur terre, moi je veux que vous soyez toujours avec moi chez moi, chez vous, chez Dieu ! » [43]

Pour celles qui ont dû vivre ou subir pareille blessure, on ne dira jamais combien la Tendresse de Jésus les attend, dans ce sacrement où tu es réconciliée avec la Vie, baiser d'amour sur ta plaie vive. On ne dira jamais combien Marie se fait toute proche, toute compréhensive. Elle qui a gardé avec tant d'amour, cet Enfant qui lui était confié en des circonstances si difficiles et si douloureuses. Elle, la Mère de Vie [44].

8) Autre conséquence *possible* (simple *hypothèse*, non suffisamment confirmée) : les *séquelles éventuelles* sur les enfants à naître ensuite. Ce n'est pas sans *risque* grave qu'un enfant reçoit la vie, là où la mort l'a précédé. Que sa vie éclôt dans un *berceau*, qui a d'abord été -même juste en passant- un *tombeau*. Il faut avoir le courage de dire les choses telles qu'elles sont. Bien des études de médecins, de psychologues, de différentes disciplines, dans les pays anglo-saxons surtout, semblent démontrer que certains troubles neurologiques, ou perturbations psychologiques, sont dûs à un avortement précédant la conception. Dans certains cabinets médicaux, où l'on soigne la personne dans sa globalité (simultanément dans sa triple dimension somatique, psychologique et spirituelle), un des éléments du diagnostic est de savoir si la mère a déjà avorté. Cela *peut* en effet peser sur

---

43. Récemment à Los Angeles, l'archevêque, entouré d'une centaine de prêtres, a célébré une messe solennelle, dans la cathédrale, pour les milliers de petites victimes trouvées dans les poubelles de la ville les semaines précédentes. Cet acte liturgique public a eu plus d'impact que toutes les protestations ou déclarations imaginables.

44. Un bain de sang s'est fait autour de son berceau. Il a fallu s'enfuir pour échapper au massacre d'Hérode.

l'inconscient des enfants suivants. Comme s'ils sentaient que leur mère avait tué. Certains psy (comme Gérard Séverin, dans *Etre ou naître pas*) conseillent alors de dire à l'enfant la vérité qui le concerne et le délivre. Mais ici encore, comme pour la mère, seul le Sauveur Jésus est vraiment capable de guérir à la racine de telles blessures. Et Il le fait, bien sûr, dès lors qu'on lui fait appel en toute confiance. Tant de fois j'en étais témoin. Qui sait si le goût de mort, le dégoût de vivre, la propension au suicide, de tant de jeunes aujourd'hui, ne sont pas dûs en partie à l'effarante multitude d'avortements. Ne pas trop vite répondre par l'affirmative, mais ne pas éluder trop facilement cette question redoutable entre toutes. Pour le moment, elle reste ouverte. A vérifier [45].

PAS TROP TARD POUR ACCUEILLIR, PAS TROP TARD POUR AIMER !

Je sais : bien des fois être enceinte est un vrai drame, et pour la mère, et pour la famille. Avec des conséquences redoutables. Un avortement alors, comme cela se comprend !

Mais n'y a-t-il pas, même en ces cas si douloureux, d'autres possibilités pour éviter ce meurtre aseptisé, avec toutes ses séquelles ?

Quand une fille très jeune est enceinte, alors qu'elle sera incapable -pour raisons économiques, sociales, psychologiques, personnelles ou autres- de le garder et de

---

45. Autant cette thèse est à manier avec précaution, étant non encore suffisamment vérifiée, autant semble certaine l'affirmation d'un nombre croissant de médecins : une femme sur deux ayant avorté présente des troubles névrotiques.

l'élever, un moindre mal ne sera-t-il pas de trouver à l'enfant une famille prête à l'*adopter* ? Faire adopter ainsi son enfant, s'il s'avère certain qu'on ne pourra l'assumer dans l'amour, n'est-ce pas sûrement mieux que de le tuer, en brisant quelque chose dans la vie d'une femme encore toute jeune ? Et en attendant, une famille qui *accueille* la mère en détresse pour qu'elle puisse attendre son enfant paisiblement. Parfois, ce sera d'ailleurs la même famille (celle qui accueille la mère, et qui s'engage à adopter l'enfant). Ce sont ainsi des prodiges d'amour qui sont vécus. J'en suis le témoin émerveillé [46].

Ainsi soutenue, la jeune mère en est grandie et confortée. Elle se montre capable d'héroïsme : elle accepte de porter les conséquences de sa fécondité même quand cela s'est vécu en dehors de l'amour, en dehors de Dieu. Elle va jusqu'au bout des suites d'une faiblesse, ou même d'une violence, dont elle a été plus victime que complice. Etant première victime, elle ne veut pas en faire une autre. Elle offre l'humiliation et la peine de sa grossesse pour participer au Pardon de Dieu sur leur péché. Elle offre pour celui qui l'a peut-être agressée, violentée, ou simplement lui a fait un enfant dont elle ne voulait pas, ou qu'elle ne pouvait assumer concrètement.

J'en connais, de ces toutes jeunes mères, dont la grossesse qu'elles refusaient farouchement a finalement été

---

46. D'admirables organisations existent pour aider les femmes en détresse. Comme : *« Mère de Miséricorde »* assurant une permanence téléphonique non-stop, grâce à plusieurs antennes en France. Pour chaque femme pensant à l'avortement une chaîne de prière et de jeûne est mise en place. (Des milliers de volontaires sont prêts à jeûner sur le moindre appel.) Des familles s'engagent à accueillir la mère et même à adopter l'enfant au cas où la mère le refuserait. Jusqu'à ce jour, près de 400 enfants ont été ainsi sauvés, par cette seule œuvre.

un temps béni de croissance spirituelle. Certaines ont fini par aimer leur enfant et l'ont gardé, alors qu'elles pensaient d'abord le faire adopter. Elles sont heureuses, épanouies. Je pense à toi, Marie-Cécile, qui a eu le courage de garder ta petite fille et de l'élever seule jusqu'au jour où le Seigneur a mis sur ta route l'époux qui a accueilli comme un père cette petite Aude que tu aimes follement !

Mais pour le garder, tu as dû commencer par accepter l'incompréhension, sinon le mépris de ton entourage, de ta famille, sauf de ta douce mère :

> « Une erreur arrive si vite ! Eh bien, tant pis, il faut se battre pour préserver l'enfant. Apprendre à l'aimer davantage, en se rapprochant de la Vierge Marie. Lui confier ce petit être, de qui jaillira une immense source de grâces et de bonheur, car il est l'œuvre de Dieu. Il est déjà sensible à tout. Alors, pourquoi le supprimer ? Il est *ma joie* ! »

Les 15 000 témoins présents se souviendront toute leur vie, de ce geste bouleversant de plusieurs dizaines de jeunes femmes ayant renoncé à l'avortement, grâce à l'œuvre «Mère de Miséricorde», et témoignant de leur joie d'avoir gardé ces enfants. Puis, on les a vues monter à l'autel, tenant leurs petits à bout de bras, pour que toute l'assemblée puisse en louer le Seigneur. C'était dans la basilique souterraine de Lourdes, en août 1987 [47].

---

47. «Une grossesse est le résultat d'un acte volontaire, et dans la grande majorité, conscient et même désiré. Une femme qui ne veut pas de l'enfant qu'elle a appelé à la vie par cet acte, attend de la société qu'elle l'aide à s'en débarrasser. Mais qui est-elle aller chercher au moment où elle le procréait ? C'est trop facile à la fin. On fait tout ce dont on a envie, sans retenue devant ses instincts, et on exige l'assistance de la collectivité pour réparer les bavures.

« MON CORPS N'EST PAS COMME LES AUTRES, MAIS MON CŒUR T'AIME ! »

Une motivation courante qui semble légitimer un avortement : quand l'échographie permet de détecter une malformation congénitale ou accidentelle, et que les chances sont grandes que l'enfant naisse -physiquement ou mentalement- handicapé [48]. Dans ce cas, comme on comprend le désarroi des parents et que soit forte la tentation d'éviter le pire. Il faut pourtant l'affirmer :

1) La certitude n'est jamais absolue. Bien des diagnostics se sont avérés erronés, après la naissance [49].

« Je suis d'accord, les femmes ont le droit de vie, mais *je leur refuse le droit de mort*. Elles sont libres de procréer ou non, mais *après la procréation* il n'y a plus de liberté mais *plus que de la responsabilité*. Oui, je crois que les femmes doivent être libres de leur corps. Mais qu'elles aient le courage d'aller jusqu'au bout de cette liberté. Quand il est question d'avortement, une autre vie que la leur est en jeu. Elle ne leur appartient plus, elles l'ont *mise en route et doivent l'assumer*.

Quand les gens qui me connaissent bien parlent d'avortement devant moi qui ai eu six enfants, dont trois d'entre eux après une tuberculose pulmonaire, je leur demande toujours lequel d'entre eux j'aurais dû supprimer. Peut-être cyniquement, je l'avoue, je m'amuse de leur embarras. Bien qu'au moment où ils sont nés j'ai pu, comme beaucoup d'autres femmes, passer pour une « lapine », à la limite de la débilité, j'ai aujourd'hui la satisfaction de penser que leur travail, les cotisations sociales qu'ils paient rendront bien service à la société, même à ceux qui se sont moqués de moi. Quels qu'en aient été les inconvénients, *j'ai six fois dit joyeusement oui à la vie* et je ne l'ai jamais regretté. » (Une mère de famille, *La Croix*, 7-03-1984.)

48. Il semble maintenant sientifiquement vérifié qu'une grande majorité des fausses-couches concernent des fœtus présentant des anomalies. Comme s'il s'agissait d'une sorte de sélection naturelle.

49. Jean Vanier parle d'un couple à qui douze médecins conseillaient l'avortement, vu les risques d'un enfant handicapé. Une famille s'étant proposée pour adopter l'enfant au cas où effectivement ce le serait, les parents ont refusé courageusement. Surprise à la naissance : deux jumeaux en parfaite santé physique et mentale ! Maintenant, rayonnement de bonheur ! (*Homme et femme, il les créa*, p. 171. Editions Fleurus).

2) Même si effectivement l'enfant naît avec un handicap :

A. Bien des handicaps sont aujourd'hui nettement améliorables, avec des traitements ad hoc pris à temps. Combien finalement ne se débrouillent pas mal dans la vie [50].

B. Souvent leur handicap ne les empêche pas d'être des enfants, puis des jeunes, débordant de vitalité et de joie de vivre. Alors que des enfants-jeunes en pleine santé, dans des milieux privilégiés, peuvent être tellement désespérés, qu'ils en arrivent à se donner la mort ! Qui donc peut diagnostiquer d'avance le taux de « malheur » d'un enfant, pour juger de sa vie ou de sa mort ?

C. Tant de parents d'abord effrayés, écrasés -une fois offerte la cruelle déception initiale- avouent avoir été comblés de tendresse par leur enfant, aussi handicapé soit-il.

D. Même l'enfant portant un handicap grave peut connaître un bonheur caché, insoupçonné des bien-portants, leur échappant complètement. Dieu ne comble-t-il pas ces enfants par des consolations qui demeurent son secret le plus intime [51] ?

_____

50. Je pense ici à Yannick, totalement paralysé depuis la taille, jusqu'à 5 ans dans une pouponnière, puis adopté. Il vient d'écrire à l'association proposant une loi pour l'élimination des nouveaux-nés handicapés : « Je m'appelle Yannick, j'ai 11 ans, je suis handicapé, *je suis heureux*. Ce qui a été le plus pénible, j'ai été sans famille pendant cinq ans. Malgré que je suis handicapé, *je suis heureux*, j'ai été bien accueilli dans une école comme les autres. Je ne comprends pas pourquoi on ne laisse pas vivre les enfants handicapés. Il y a beaucoup d'enfants qui ne sont pas aimés et qui sont beaucoup plus malheureux. » Yannick.

51. Le cas de Christiane, dite débile profonde, qui a stupéfié le corps médical de l'hôpital de Montpellier, quand à la suite de brûlures

E. Aussi incroyable que ce soit, il existe des familles qui accueillent avec un amour fou ces enfants rejetés de tous, trouvés parfois sans nom et sans adresse, dans une maternité ou même dans la rue (oui, ici en France), les parents s'étant «barrés» à la seule vue de l'enfant [52]. Elles sont déjà plusieurs centaines en France à avoir adopté une petite trisomique, un petit «*spina bifida*». Et que tu le croies ou non, elles sont heureuses [53].

Elles ont fait l'expérience du cœur même de Dieu, présent, palpitant dans le plus faible comme dans un ostensoir vivant, et elles en deviennent le cœur rayonnant du monde.

Ainsi répondent-elles à l'appel de Jean-Paul II :

> « (...) Les familles chrétiennes sauront s'ouvrir à une plus grande disponibilité en faveur de l'adoption et de la prise en charge des enfants privés de leurs parents ou abandonnés par eux. (...) Une «créativité» incessante doit caractériser la fécondité des familles : c'est là le fruit

---

graves, elle a commencé à s'exprimer. Sa maturité spirituelle, sa profondeur intérieure ont bouleversé tout le monde. Celle que l'on traitait, à la limite comme un végétal, était en réalité une petite sainte !

52. C'est l'œuvre admirable, entre autres, de SOS EMMANUEL, à Montjoie (Clefs, 49 150 Beaugé). Même les enfants handicapés qui vont mourir y sont maintenant accueillis, pour leur permettre un départ dans la beauté, la paix et la prière. Plus de 300 familles, dans différents pays, ont accueilli plusieurs de ces rescapés du grand massacre des Saints Innocents d'aujourd'hui.

53. En Autriche, un jour de la fin du siècle dernier, naissance de deux jumeaux. Le garçon est beau, intelligent. La fille, «mongolienne». Trente ans plus tard, quand sa mère est paralysée, elle la soigne pendant cinq ans avec un extraordinaire dévouement, pendant que le garçon continue une carrière brillante. On a oublié le nom de la fille. Le garçon, lui, tous ont entendu son nom : Adolf Hitler. Aujourd'hui, on aurait sans doute éliminé la petite fille...

merveilleux de l'Esprit de Dieu qui fait ouvrir tout grands les yeux du cœur afin de découvrir les nécessités et les souffrances nouvelles de notre société, et c'est Lui qui donne la force de les assumer et de leur apporter la réponse adéquate. Dans ce cadre se présente aux familles un champ d'action très vaste. En effet, il est de nos jours un phénomène encore plus préoccupant que l'abandon des enfants : c'est celui qui frappe cruellement les personnes âgées, les malades, les personnes handicapées, les toxicomanes, les anciens détenus, etc, en les mettant en marge de la vie sociale et culturelle. Alors *les horizons de la paternité et de la maternité des familles chrétiennes s'élargissent considérablement : la fécondité spirituelle de leur amour est comme défiée par de telles urgences*, et bien d'autres encore, de notre temps. Avec les familles et à travers elles, le Seigneur continue d'avoir «pitié» des foules. » (Familiaris consortio) [54]

B. Fabriquer la vie en falsifiant l'amour

LES MANIPULATIONS GÉNÉTIQUES : ALIÉNATIONS DRA-MATIQUES

Toutes les techniques biomédicales ou chirurgicales, pour aider à la procréation, partent du très beau désir de mettre les conquêtes scientifiques actuelles au service de la vie. Elles veulent pallier la stérilité, l'impuissance. Elles manifestent la puissance du génie humain, et par là sont à la gloire de Dieu qui a donné à l'homme une telle intelligence. Elles ont réalisé des prodiges de technolo-

---

54. Ce ne sont pas ceux qui brûlaient les pestiférés qui ont trouvé comment les sauver !

gie, pour répondre au besoin légitime d'avoir des enfants, là où il n'était pas possible d'en avoir.

Ce n'est pas le lieu d'étudier de près ces problèmes de bioéthique. Ils sont d'une telle complexité ! Bien des ouvrages y sont consacrés.

Simplement quelques données élémentaires, quelques évidences simples, quelques vérités de base pour aller droit à l'essentiel.

Le problème vient de différents aspects :

1) *L'effraction de la technique*, et des techniques, dans une intimité où doit absolument primer l'amour. Des méthodes artificielles dans un domaine où il faut un infini respect de la nature, telle que Dieu nous l'a donnée, avec ses défaillances mêmes [55].

Ici l'efficacité prime sur l'amour. Elle finit par le tuer.

L'origine d'une personne -le moment initial de son existence- doit être le fruit d'un acte d'amour de ses parents. « L'enfant à naître ne peut être conçu comme le produit d'une intervention de techniques médicales et biologiques... Nul ne peut soumettre la venue au monde d'un enfant à des conditions d'efficacité technique mesurée selon des paramètres de contrôle et de domination. » [56]

2) Ces *interventions* risquent fort d'entraîner une *ingérence* indue des médecins, biologistes et gynécos, qui facilement s'arrogeraient le droit de décider de la vie et de la mort d'un être humain. Et cela, arbitrairement,

---

55. Le cas est très particulier quand c'est vraiment par amour que certains couples mariés ont cru bon d'avoir recours à ces interventions médicales, si humiliantes en tant que telles, mais seule manière pour certains couples s'aimant profondément d'avoir un enfant qui soit vraiment le leur à tous les deux. Mais même alors, est-ce selon Dieu ?

56. Document romain sur la bio-Ethique.

parfois sans même se référer aux personnes concernées. Que d'abus sont possibles et déjà réels, de la part des « techniciens » se croyant maîtres tout puissants [57].

3) La vie à transmettre est souvent *débranchée de l'acte sexuel*, l'expression de l'amour, dont l'enfant devrait être le fruit. C'est une *déhumanisation* du processus même de la transmission de la vie. C'est déconnecter la *génitalité* de la *sexualité* et vice-versa [58]. Alors que ce sont deux aspects indissociables d'une même réalité.

4) La pro-création est parfois, partiellement, *arrachée au corps*. Cas de la *fécondation in vitro* [59]. Dé-personnalisation au sens strict du terme. Alors que l'amour doit s'exprimer par le corps, et la vie germer du corps. « A tout prix, il faut que le corps humain demeure le lieu de la procréation. Là réside la garantie que la vie en son commencement n'est remise à personne d'autre qu'aux parents. » La conception *in vitro* est -paradoxalement- une preuve que l'être humain commence à sa conception.

5) Dans le cas des « *mères porteuses* », la gestation n'est pas arrachée au corps, mais la vie est comme arra-

---

57. La vulgarisation médiatique sur les expériences bio-éthiques est considérée par certains biologistes, comme une sorte de « pornographie biologique ».

58. A propos de l'I.A.D., le professeur David, fondateur du SECOS y met trois paramètres : 1) Que le « tiers donneur » ait déjà au moins deux enfants « réussis ». 2) La gratuité absolue. 3) Le don ne peut être fait qu'à un couple (non à une femme seule).

59. Les bébés-éprouvettes (FIVETE) sont déjà plusieurs centaines en France. La demande est telle qu'il faut attendre jusqu'à un an pour une première consultation. Qui dira l'humiliation ressentie par beaucoup de femmes devant les interminables préparations médicales. Parcours du combattant épuisant à la longue.

chée à l'amour, « maternité » qui risque de n'être que biologique et non parfaitement humaine [60]. (A la limite, on
en arrive à une mère robot.) Car une mère peut-elle
être vraiment mère, sans être à la fois, et inséparablement, épouse ? Peut-elle engendrer ce qu'elle n'a pas
conçu ? Ou ce qu'elle a conçu en dehors d'une étreinte
sexuelle ? Il n'y aura pas eu de vraie fécondité, parce que
la fécondité naît d'un amour qui se donne à l'autre. Donc
pas de vraie maternité. Bien sûr, elle peut porter avec
amour ce petit qui lui est confié. Elle peut comme
« l'adopter » en elle. Mais alors, si elle l'aime, s'en séparer n'en sera que plus déchirant, et comment cette douleur n'aura-t-elle pas un retentissement sur l'enfant ? Et
cet enfant, de son côté, devra se faire successivement à
deux mères... Comment donc n'en subirait-il aucune sé-
quelle ? Pourquoi toujours si peu penser à lui ? Ici encore, l'efficacité tue l'amour. On veut un enfant à tout
prix, et le prix à payer c'est précisément un enfant sacri-
fié.

Dans tous les cas la vie devient un « en-soi », indépendamment d'un amour. Le processus de co-création de la
vie est *usurpé*. On découpe ses différentes phases selon
ce qui nous arrange. « Un enfant comme je veux, quand
je veux, de qui je veux ! » [61]

---

60. Quand trois techniciens mettent un embryon dans le sein, ils se
substituent à l'époux. Tandis que là où le médecin aide la nature à retrouver son fonctionnement normal (ré-ouvrir une trompe etc...) il est simplement serviteur.

61. Voir : Geneviève de Perceval, *L'enfant à tout prix*, Ed. Seuil, coll.
Le Point.

3

ÉCLOSION D'UNE VIE :
EXPLOSION D'UNE GALAXIE !

« Au moment où l'ovule est expulsé hors de l'ovaire pour être acheminé le long des trompes vers l'utérus (période de fécondation), c'est inouï ! *Une explosion ! Comme si on assistait face à l'univers à la naissance d'une galaxie* ou bien encore d'une explosion d'un feu d'artifice extraordinaire de lumière. Et que cela se soit passé dans le *ventre infiniment pur de Marie* ou de *la plus déchue des prostituées*, là, dans l'infiniment petit, le *doigt de Dieu protège la beauté*, ce qui se fait à Son Image. Comme c'est beau de voir l'amour commencer ainsi, la vie commencer ainsi ! On y touche Dieu ! On devine son amour. On effleure sa vie. On pressent ce qu'Il est. Comment Il est. Même fait sans amour, même dans des circonstances dramatiques, même en dehors du dessein de Dieu, cela demeure une chose défiant l'imagination.

Un jour, chez une malade, je demande à la femme de ménage si elle a de la famille. Elle me répond du tac au tac : « Moi, je suis le résultat d'un viol ! » Après les secondes de surprise de l'aveu, il me semble que j'ai regardé cette femme avec les yeux de Dieu. « Oui, continua-t-elle, sans complexe a priori, ma mère, handicapée, a été prise sous un arrêt de bus par un vagabond qui passait par là. Comme elle ne pouvait pas bien marcher, elle n'a pas pu se défendre. Elle est morte à ma naissance… » Le mot viol tournait dans ma tête. Et pourtant, il y avait eu une certitude en moi : « Avant que l'homme ne détruise en ta mère le Temple, Dieu l'avait déjà relevé. » Et je voyais le doigt de Dieu admirer la galaxie de cet ovule perdu dans le corps de cette pauvre jeune fille, et ciseler avec le résultat d'un viol, un être unique, tellement plus aimé que le grain de sable si finement ouvragé. » [62]

Humilité de Dieu ! Il a voulu être vulnérable jusque là ! Même quand la vie est transmise en dehors de son dessein d'amour, et contre sa volonté, c'est-à-dire contre son cœur, oui, même alors Il joue le jeu de notre liberté : à cet être nouveau que j'ai suscité -même dans le péché- Il accepte de donner son âme immortelle ! Il travaille encore avec moi, alors même que je travaille contre Lui. Je blesse profondément son cœur -oh ! si souvent sans le savoir- et loin de se venger, Il se surpasse, et par son Cœur trans-percé donne l'existence à cet enfant qui, lui, sera totalement innocent du mal. Et *Dieu verra moins ta violence que son innocence*. Mais Il attend ton pardon. Et son pardon te relèvera.

UNE GESTATION : UNE HUMILIATION ? UNE BÉNÉDIC-TION !

Et cette vie qui vient d'éclore, voici qu'elle se met à croître, heure après heure, jour après jour. Cet enfant devient doucement -et en même temps si rapidement- ce qu'il est. Tout ce qu'il sera un jour est déjà totalement compris dans ce minuscule embryon de quelques milli-

---

62. Témoignage d'une jeune infirmière.

mètres ! Tout cela est déjà là en puissance, en virtualité. Comme le chêne déjà contenu dans le gland.

Une femme enceinte devrait inspirer un respect infini. Est-ce possible ? En Occident on en est venu à en faire une situation humiliante. Dans la rue, une femme enceinte se sent objet de condescendante pitié : « Oh ! la pauvre ! » Si ce n'est de mépris : « L'idiote, elle n'a pas su comment s'y prendre ! »

Tandis qu'au Liban, où l'on sait l'horreur de la mort, mais surtout le prix infini de la vie, les gens dans la rue n'ont pas de honte de s'incliner devant une femme enceinte. Et les prêtres d'esquisser un geste de bénédiction : cet enfant encore invisible est signe de victoire sur toutes les forces de la mort [63].

Salut à toutes les mères d'Afrique, d'Asie, d'Amérique latine, pour qui l'enfant est la bénédiction par excellence. Je les revois, au Rwanda, portant leur petit sur leur dos, pendant qu'elles cultivent. Comme elles en sont fières ! Chacun est pour son peuple, lumière !

Etant petit j'en étais tellement saisi que j'avais envie d'être une de ces femmes dont j'étais jaloux, uniquement pour cela : pouvoir porter un autre que moi, chair de ma chair, sang de mon sang ! En japonais, l'utérus s'écrit avec deux caractères : Temple et secret !

_____

63. Dans le courrier de ce matin : « Joie de participer à la paternité de Dieu, continuer son œuvre de création ! Cette première vie qu'il nous donne, nous l'accueillons afin qu'il soit signe d'espérance dans ce monde de mort. *Chaque nouvelle naissance* offerte au Roi des rois, est une *victoire de la Lumière* sur les ténèbres ! » Denis et Marie.

« CES ÉTOILES VIVANTES EN MON SEIN »

Car maman m'expliquait ce qui se passait dans cette jeune femme étrangement grosse. Elle m'avait cité ce mot de Claudel qu'elle aimait répéter quand elle-même me portait :

« Dire qu'il se forme en moi des yeux qui verront la lumière et que je porte ces étoiles vivantes dans mon sein. »

Vivantes ! Vibrantes ! Scintillantes ! Palpitantes ! Trois semaines après la fécondation, les premières palpitations du cœur sont détectées, et à la fin du deuxième mois les premières ondes cérébrales indiquant une importante activité mentale. Au sixième mois, la mémoire enregistre déjà. Et déjà il commence à rêver. Ses yeux bougent. (Se branche-t-il alors sur les rêves de sa mère ?) Monde prodigieux, à peine exploré, et que, toi et moi avons connu, vécu !

Qui donc dira toute la vulnérabilité affective de l'enfant, son extraordinaire sensibilité à tout ce qui vient de sa mère, touche à celle-ci, à tout ce qui l'environne ? On a parlé d'une « vulnérabilité biologique à la détresse émotionnelle ». Je rajoute : une réceptivité du cœur à la tendresse spirituelle.

Si l'enfant est à ce point réceptif aux moindres sentiments de sa mère, combien plus à sa prière [64]. Tout ce

---

64. Il faut aimer voir films vidéos montrant le développement de l'enfant. Peu de choses sont aussi dissuasives d'un avortement. Des filles y ont renoncé simplement à la vue d'une belle photo ! Lire aussi ces remarquables études sur la vie intra-utérine, par exemple : *La vie secrète de l'enfant avant sa naissance* de Thomas Verny et John Kelly (Grasset, 1982). *Le bébé est une personne* de Bertrand Martino (Ed. J'ai Lu). *Les premiers jours de la vie* de Claude Edelmann (Ed. France-Documentation). Voir annexe.

que les découvertes scientifiques contemporaines sur la vie intra-utérine nous ont appris, s'applique aussi à sa vie spirituelle. Si l'enfant est si tôt ultra-sensible aux réactions de l'entourage, à la voix, aux bruits, à la musique, combien plus à la prière liturgique. Je connais des enfants qui, dès leur naissance, repèrent tel chant que, dans le sein de leur mère, ils entendaient et, probablement, déjà aimaient.

Durant la grossesse, tout le corps de la mère, se modifie en fonction de l'enfant. C'est lui qui a *la priorité absolue*. Lui qui mène le jeu ! En fait ce n'est pas la mère qui fait l'enfant, mais *l'enfant qui se fait lui-même. Un bébé s'appartient*. Il est totalement indépendant, à une double condition : qu'on ne détruise pas son scaphandre, et qu'il reçoive gîte et nourriture de sa mère.

Que la vie de prière des parents, et peut-être déjà des autres enfants, gravite autour de lui. On l'associe à la prière familiale (nous y venons !).

Je ne suis pas étonné quand une maman me confie qu'à la communion son enfant a « tressailli » en elle. N'est-ce pas normal ? L'enfant pressent la Présence de son Seigneur, simplement parce que la mère le reçoit avec admiration et joie. Cette intimité de la mère avec Dieu, durant la gestation, peut être guérison au cas où, dans un premier réflexe, l'enfant aurait été mal accueilli. Car on sait maintenant, que dès les 2-3 premières heures, l'enfant sent s'il va être accueilli ou non. (Bien des sentiments sont capables de passer dans l'ovule dès ces premières heures.)

Si le premier accueil a pu être mitigé, il n'est pas trop tard pour le « rattraper » : multiplier les attentions, redoubler de tendresse, intensifier la louange. Ainsi, effacer la blessure laissée par un premier refus.

CE NOËL DONT L'EMPREINTE EST ÉTERNELLE

On sait aujourd'hui toutes les répercussions sur un enfant des tout premiers instants qui suivent sa mise au monde. Des cliniques s'ouvrent où l'on cherche à faire vivre ces instants décisifs pour une existence dans un climat de paix, de douceur et de tendresse [65]. Mais là aussi, il y faudrait la louange, la prière. Célébrer une naissance comme une liturgie ! Une liturgie de Noël. Car immense alors est la joie des Anges et surtout celle de Dieu [66]. Et les témoins émerveillés en deviennent autant de bergers de Bethléem...

A. L'enfant, médecin des parents

Et maintenant l'enfant est là ! Sa seule présence transforme ses parents. «Tout doucement, jour après jour, l'enfant fait de la femme une mère, de l'homme un père. La venue du nouveau-né métamorphose le couple et son univers (le berceau devient le centre de gravité de la maison). L'enfant fait mûrir l'amour de ses parents à une vitesse accélérée. La relation conjugale exclusive éclate. L'amour est réorienté vers l'autre. Leur amour devient plus oblatif, plus tourné vers l'avenir.» [67] *L'enfant humanise ses parents* par le seul fait d'être là. Ainsi l'enfant n'est-il pas seulement une bénédiction mais *une guéri-*

---

65. Par exemple, les petites sœurs des maternités catholiques à Aix-en-Provence et près de Lyon.
66. Voir dans les témoignages : « Te voici donc, enfant de lumière ! »
67. Cardinal Daneels, Noël 1986.

son : il guérit ses parents du grand mal de la solitude [68]. Il les rend aussi plus pauvres d'eux-mêmes. Les désinstalle. Les arrache à leur petit confort, et par là même les rend plus jeunes [69]. Avec chaque enfant quelque chose de neuf commence. « L'usure du temps est dépassée par cet être nouveau : il va rajeunir ses parents, leur redonner un nouvel élan de vie. Un foyer dans lequel il n'y a pas

---

68. « Différentes enquêtes montrent que les bébés qui s'éveillent plus vite et sont les moins anxieux sont les enfants de famille nombreuse, les nourrissons adoptés très tôt par un couple attentif et les bébés noirs portés sur le dos. Dans les trois cas, on trouve non des jouets colorés mais la chaleur humaine dans une famille cohérente. » Claude Edelmann, *Les premiers jours de la vie,* p. 121.

69. « L'explosion d'amour qui fusionne les conjoints est suivie d'un enfant qui a tôt fait de peser de tout son poids. Il coûte des forces, prend du temps, prive de confort et nuit à de nombreuses entreprises. Mais, surtout, il affadit l'épouse, la distrait de son homme qui oublie de la couvrir de tendresse. Le charme s'évanouit. La solitude se creuse. D'où l'envie de *court-circuiter le don en faveur de la satisfaction,* d'être bien ensemble et que ça dure. Cette convoitise a acquis droit de cité dans une société profane qui découvre à reculons, mais toujours pour demain, toujours trop tard, que seul le don dure : le repli sur soi se dégénère, vieillit et crève.

Aussi ce sont ceux qui endurent les mystères de la douleur qui connaissent les mystères glorieux des époux. *Les privations de l'envie intensifient cette liturgie d'amour* quand vient le temps de fusion de leur être. La solitude réciproque portée avec fidélité pour son conjoint aura fait de chacun l'être le plus important pour l'autre, au-delà de toute gratification passagère. Enfin, le « oui » total et répété à l'amour qui demeure aura entouré les parents de l'amour multiplié de leurs enfants qui leur offre l'avant-goût du paradis.

C'est parce que l'amour est éternel que le don de la vie se renouvelle inlassablement dans la fusion des amoureux. On nous a souvent demandé quand est-ce qu'assez, c'est assez dans le don de la vie ? La réponse est pourtant simple. Quand on en aura assez de s'aimer. C'est-à-dire jamais. » Georges Allaire, *France Catholique,* n° 2131.

d'enfants risque toujours de vieillir beaucoup. Dès qu'il y a l'enfant, il y a rajeunissement, regain de vie, élan nouveau [70]. »

« Regarde une toute jeune maman. Quel rayonnement lui donne son premier enfant ! il lui donne comme une éclosion ! L'enfant, c'est la gloire de ses parents : au sens de l'épanouissement, de la manifestation. Il manifeste leur amour et leur unité. Il manifeste que leur vie a cette fécondité. » [71]

CE SECOND ENFANTEMENT

Elever un enfant : le faire monter vers la sainteté. Vivre une paternité, maternité, pas simplement physique mais spirituelle.

Le laisser grandir ! Le voir devenir autre, différent, alors même qu'il tient tout de nous : respecter cette personnalité qui, peu à peu se dévoile et s'affirme ! Ne pas projeter sur lui ce que je rêve d'être ! Ne pas vouloir le posséder, au risque de l'étouffer [72]. Le faire exister, le faire devenir, et être, lui-même [73]. Lui donner le temps

---

70. Cardinal Daneels, Noël 1986.

71. Marie-Dominique Philippe, *Au cœur de l'amour,* Ed. Le Sarment-Fayart, p. 147.

72. Si la tentation permanente de l'homme est de se protéger contre le don de soi-même (de refuser de se livrer), la tentation permanente de la femme est de posséder, de serrer sur elle, jusqu'à les étouffer, ceux qu'elle aime.

73. Ce mot d'une enfant de 6 ans, exaspérée de ce qu'on la comparait toujours à telle tante : « Mais, je ne suis pas Béatrice, je suis moi ! »

de mûrir [74]. Ne pas brûler les étapes. Respecter sa propre croissance [75]. Renoncement. Détachement. Seconde mise au monde, second enfantement.

Ici encore, la Croix est bien fichée au cœur du mariage : à vouloir trop facilement l'évacuer, bien des foyers vont à l'échec. En amour, la souffrance fait partie de la croissance. Aimer, c'est toujours enfanter et tout enfantement se fait dans la joie douloureuse. Les petites croix du quotidien, comme les grandes épreuves (stérilité, départ d'un enfant, naissance d'un enfant handicapé, échec d'une éducation, veuvage !), toutes ces croix peuvent être illuminées du dedans, offertes pour sauver le monde.

Non, le mariage n'est pas lieu de caprice : car ce n'est pas un bonheur factice. Ce qui est promis : non la facilité, mais la sainteté. Mais l'éternité d'un amour — A la mesure de sa Fidélité —.

---

74. « Partout sur les affiches et les spots publicitaires, les enfants sont rayonnants de joie, mais il faut les voir, à la maison, seuls devant la fenêtre, les yeux en larmes. Ou dans les voitures rentrant sur l'autoroute, comme ils sont tristes et fatigués ! L'enfant passe à l'âge adulte, d'un coup, sans transition. il n'a pas eu son temps d'adolescence, le temps de mûrir. On ne lui a pas permis d'apprendre le sens du délai, étape indispensable pour devenir adulte. La satisfaction immédiate n'humanise jamais quelqu'un. Elle ne fait que le fixer au stade de l'enfance. » Cardinal Daneels, Noël 1982.

75. « On résistera aux envies sans cesse renouvelées des enfants, non par mépris de la consommation qui est notre modeste victoire sur la misère, mais parce que l'enfant a droit à la frustration qui seule libère en lui ses désirs créateurs. » Professeur Delooz au Congrès du BIC, Paris, décembre 1986.

B. Quatre piliers pour un foyer

Prière, Pardon, Partage, Pain : quatre réalités sans lesquelles il est presque impossible de tenir, en tout cas de grandir, dans l'amour. Quatre «*P*.» —

a) *La prière, respiration d'une famille*

Chaque jour, se donner -coûte que coûte- un temps, aussi bref soit-il, de prière. Tout le climat familial en est différent. Moment béni où l'on peut enfin souffler, s'apaiser en Dieu, faire son plein d'essence-tiel ! Voir chacun tel que tourné vers le ciel. Rien ne donne autant de calme pour le jour ou la nuit qui vient. Les enfants en ressortent plus paisibles, plus beaux aussi : plus eux-mêmes. Ces plages de recueillement. une condition sine-qua-non pour ne pas s'asphyxier dans un monde hyper-stressé, supertrépidant.

N'objecte pas : pas le temps ! C'est de la triche. Jeune amoureux, disais-tu cela quand ta fiancée t'invitait ? Tu n'as qu'à couper plutôt cette sacro-sainte T.V., trop souvent destructrice d'une intimité. Le cercle familial est brisé. Il devient demi-cercle. Cet enfant italien de six ans : «*Seigneur, fais que mon visage ressemble au petit écran pour que Papa le regarde parfois* !» S.O.S. de tant d'enfants qui n'ont jamais le temps d'être écoutés, regardés, simplement aimés. et ce temps-là, c'est aussi la prière qui l'ouvre.

Drame des sociétés occidentales qui séparent les générations. Des enfants ne connaissent plus leurs grands-parents... Les enfants n'ont plus personne pour les écouter, et les grands-parents plus d'enfants à soigner, à élever, à aimer : deux solitudes... juxtaposées ! Qui pourraient se guérir facilement l'une l'autre.

Par exemple, pourquoi ne pas prendre ce temps de prière, après les informations, et les donner en intercessions ? Seule la prière permet de supporter certaines horreurs, ou d'assimiler un torrent de nouvelles tous azimuts, qui sans elle, seraient déstabilisantes. La prière unifie le cœur, autant qu'elle apaise.

Je connais des familles où une fois par semaine, se célèbre une *soirée-couple* : seuls se trouvent les époux pour quelques heures *festives* et *priantes*. Souvent ce sont les enfants qui rappellent à l'ordre leurs parents et les envoient à leur soirée spéciale. Un autre soir de la semaine, c'est la *soirée-famille*. Personne d'autre ne peut être invité, on est entre nous. Le jeudi soir à cause de la première Cène de Jésus peut être un beau soir pour cette petite veillée joyeuse et recueillie. Autour d'une table toute fleurie, d'un coin prière tout illuminé.

Splendeur de ces liturgies familiales où l'enfant reçoit le sens de la beauté. Il a droit à la beauté pour être heureux, et simplement pour exister [76].

Liturgie où se transmet la foi de l'Église. Dans les pays persécutés, comme dans le peuple juif, la foi n'a pu se maintenir qu'à travers les liturgies célébrées en famille, souvent clandestinement.

Une relation personnelle et vivante s'établit avec le Seigneur qui devient membre de la famille, fait partie de la vie de tous les jours. Cette présence-là, nul ne l'arrachera jamais à l'enfant. C'est *le vaccin contre toute soli-*

---

76. Je ne développe pas ici ce qui touche au droit élémentaire de tout enfant à la prière, à la vérité, au pardon : je l'ai fait, avec témoignages à l'appui, dans : *Ton enfant, il crie la vérité*. Fayard 1983.

tude. Même s'il s'éloigne un jour de la Présence, Jésus demeure le Seul qui jamais ne laisse seul [77].

Et si jamais la prière conjugale et familiale n'est pas (encore) possible, la foi n'étant pas partagée (et pour certains c'est la plus grande des douleurs), rien n'empêche un des conjoints, ou un des enfants, de prier tout seul, mais au nom de son couple, de sa famille. Alors, c'est déjà la famille toute entière qui déjà prie [78].

Chaque fois que prie une famille, son «nous» rejoint celui de la famille-source: celle de *Nazareth*. Quand Jésus est enfin retrouvé après trois jours de recherche, Marie lui dit simplement: «Ton père et moi, NOUS te cherchions angoissés.» «Nous» bouleversant qui laisse deviner tout ce qu'ils vivent entre eux, Joseph et Marie [79]. Mais Jésus, regardant Joseph, lève les yeux au ciel et répond: «Mon Père.» Et bien plus tard, il dira: «Mon Père et moi, NOUS sommes un!» Comme si le «nous» de Marie et Joseph avait évoqué le «nous» de la Trinité Sainte. L'unité des parents, manifestée par la prière, fait qu'un enfant lève les yeux, s'élève tout entier vers son Père du Ciel [80].

---

77. Un universitaire de Québec: «Ma mère m'a tué le jour où elle a refusé -ou peut-être oublié- quand j'étais enfant de me faire prier sur ses genoux. Mes profs de catéchèse m'ont étouffé quand il m'ont appris la morale et la sexologie sans me faire découvrir Jésus. Et vous vous surprenez que je fasse des spasmes?»

78. «Le mari non croyant se trouve sanctifié par sa femme, et la femme non croyante se trouve sanctifiée par le mari croyant. Car autrement vos enfants seraient impurs, alors qu'ils sont saints.» 1 COR 7,19.

79. Voir l'Evangile selon saint Luc, chap 2.

80. Un beau petit livre pour aider la prière Familiale: «*C'est Fête chez nous*». Ed. Novalis/Cerf, 1985.

Splendeur encore de la prière avant et au moment de l'acte conjugal. Le confier au Saint-Esprit, maître en amour et donateur de vie. Comme Tobie et son épouse commençant par s'harmoniser dans la prière avant de s'unir dans la chair. «Cette prière précédant l'union intime, montre très clairement la nécessité d'être uni spirituellement, d'être re-né ensemble de l'Esprit-Saint, pour trouver la relation intime juste qui dépasse le seul désir. » [81]

b) *Le pardon : ce plus performant des tranquillisants*

La prière, lieu par excellence où peut se donner et se recevoir un pardon. Tant de couples se sont séparés à cause d'un pardon toujours remis au lendemain [82].

Que de blessures auraient pu être évitées avec un pardon donné à temps. Un pardon refusé, c'est un plomb sauté, un amour court-circuité : le courant ne passe plus. Pourquoi ce petit mot «Me pardonnes-tu ? » est-il donc le plus difficile à dire de tout notre langage ? Pourquoi reste-t-il si souvent en travers de la gorge ?

Un pardon donné, c'est l'alcool à 90° sur une plaie. Sinon, c'est l'infection, puis l'abcès. En attendant l'opération chirurgicale.

Pourquoi, mais pourquoi donc attendre que ton foyer soit au bord du gouffre ? Chaque soir, offre et reçois ce baiser d'amour. Se regarder droit dans les yeux, se bénir

---

81. Michel Laroche (jeune théologien orthodoxe, marié), *Une seule chair*.

82. Ce qui est dit ici du pardon, doit déjà se vivre entre fiancés, entre amoureux.

par une petite croix sur le front : le plus performant des tranquillisants ! Déchargé d'un poids de mort, en paix tu t'endors. Demain ne fait plus peur. Les tensions s'apaisent. Les conflits se résorbent. Oui, *pardon mutuel = la plus sécurisante des mutuelles.* Qu'il circule librement entre époux, comme entre enfants. Mais aussi que les parents sachent demander pardon à leurs petits, et vice-versa. Alors, la joie peut éclore, sans ombre [83].

LA TRANSPARENCE : UNE CONFIANCE !

La vie en famille décape, mais pour construire. Emonde, mais pour faire fleurir.

Différends et difficultés sont bénéfiques, à condition de se dénouer dans *l'amour et la vérité.*

Ne laisse jamais un abcès se former, une plaie s'infecter. Lorsqu'une tension surgit, qu'éclate un conflit, parles-en simplement à ton conjoint, et, avec lui, que soit opérée une réconciliation.

On aimera se bénir l'un l'autre. En signant de la croix le front de ton enfant, de ton époux(se), comment ne pas le regarder les yeux dans les yeux ? Et comment le faire, si un pardon donné et reçu ne vient pas laver vos regards ?

Ne te couche jamais, une seule ombre entre toi et lui.

---

83. « Pour devenir un être réellement humain, l'enfant doit être en mesure de développer ses potentialités essentielles parmi lesquelles il faut compter l'ouverture à l'intériorité. » Pierre Delooz, sociologue, Congrès Général du Bureau International Catholique de l'Enfance. 1-3 décembre 1986. Rome.

Fais la paix et, dans la douce paix qui règne entre le Père, le Fils et l'Esprit, tu pourras t'endormir.

La transparence rend phosphorescentes les différences. Par elle, les relations nous donnent d'être nous-mêmes et de nous unifier intérieurement.

Comme il en est entre
le Père, le Fils et l'Esprit.

L'apprentissage de la vie communautaire
sera message pour mille frères,
en étant passage dans la Vie Trinitaire.

CONTRE TENSIONS ET INFECTIONS : LA CONFESSION

Quand les parents demandent à un enfant son pardon, et devant lui le pardon de Dieu, alors celui-ci sait qu'il y a comme une distance entre Dieu et ses parents. Qu'il ne peut plus les confondre purement et simplement. Qu'il ne peut projeter sur Dieu le ressentiment qu'il peut éprouver pour ses parents. Il les voit se faisant petits devant Dieu. Et du coup, Dieu à ses yeux ne risque pas d'être caricaturé par ses parents. Il y a Quelqu'un plus grand, plus beau, plus saint qu'eux.

Mais comment être assez pauvre en son cœur pour mendier ce pardon, si jamais tu ne tombes à genoux devant le Seigneur Jésus lui-même pour qu'Il dynamite - d'un seul mot- ton péché, te libère de ta paralysie et te remette debout, dans la joie folle d'avoir retrouvé son intimité. Et à qui donc a-t-il confié ce mot -que seul Dieu peut dire, car seul Il peut créer ? A ces hommes aussi pécheurs que toi, pour que tu te sentes en toute confiance : les prêtres. Ce merveilleux sacrement de la Réconciliation est une vraie *opération de chirurgie esthétique* : au visage de ton cœur, Il rend sa beauté d'une éternelle jeunesse [84].

Autre chose aide à vivre dans une paix sans cesse redonnée : se dire qu'il/elle peut toujours partir le premier vers Dieu. *Vis aujourd'hui, comme s'il devait mourir demain*. Comme si c'était ta dernière journée avec lui. Du coup, que de peccadilles relativisées. Essaye ! Tu verras quelle densité prend ta relation avec lui/elle.

Quand il partira, tu diras : « Si j'avais su... Je n'aurais pas fait telle chose, je n'aurais pas attendu pour telle autre. Tout ce que j'aurais dû être pour lui et que je n'ai pas été... » Pour t'éviter la morsure de ces lancinants regrets posthumes, ne remets pas à plus tard, ce que tu peux faire, être, pour lui aujourd'hui. Alors, ton cœur sera en paix. Avant, et déjà après, la grande séparation que, tôt ou tard nous devons vivre. Cet instant-là, prépare-le dès aujourd'hui.

c) *Le partage : des oasis où renaît un amour blessé*

La prière permet comme rien au monde de partager, de s'écouter, de vivre une transparence : elle nous apprend à donner du temps *gratuitement*. Que de malentendus se dissipent -neige au soleil !- quand on peut s'expliquer paisiblement, simplement.

Le manque de transparence et de vérité dans le couple, c'est le ver dans le fruit qui en cachette le ronge et le pourrit. Pour y remédier : toujours partager, se dire, se

---

84. Sur le pardon, voir dans la collection Jeunesse-Lumière : Marie-Michel, *Infinie sa Tendresse*. Editions Le Sarment. Fayard.

dévoiler joies, peines, angoisses, difficultés... Non un partage virant au règlement de compte mais humble tâtonnement en commun pour se relever et vivre en vérité.

Alors, de lui-même, naît le besoin de partager avec *tous, avec le pauvre surtout*. La prière donnant de nous accueillir en famille, nous entraîne dans la même foulée, à ouvrir notre porte à l'autre : l'étranger, l'inconnu, celui qui survient à l'improviste. L'accueillir comme Jésus en personne qui frappe à notre porte.

Comme jamais le monde a besoin de ces oasis d'amour, où les plus blessés par la vie, les frustrés d'amour se sentiront écoutés, accueillis, aimés [85]. Ils retrouveront le goût de la vie, l'envie d'aimer, depuis trop longtemps perdus.

Les familles deviendront ainsi *lieux de guérison* d'une multitude au cœur meurtri. Elles ne se replieront pas sur elles-mêmes. Elles ne formeront pas de petits ghettos. Ni des serres chaudes. Elles offriront au pauvre d'espérance le meilleur de ce qu'elles vivent : une tendresse mutuelle, bénie et fécondée par Dieu Lui-même [86].

Mais comment les accueillir sans risquer une déstabilisation de la famille ? Précisément par la prière, où les

---

85. Je connais plusieurs homosexuels, ou des jeunes dégoûtés du mariage par des blessures familiales, qui ont été guéris simplement au contact d'une famille heureuse et priante, heureuse parce que priante.

86. « La culture scientifique et technique, ordonnée à l'efficacité est comme une chape de plomb qui arrête les élans de l'amour. En face de cette culture, la famille chrétienne doit être une petite oasis d'amour, où l'amour est repris à sa source et doit maintenir un jaillissement. Un lieu où l'amour humain puisse être victorieux de toutes les luttes contre l'amour, de toutes les idéologies qui veulent écarter l'amour. » Marie-Dominique Philippe, *Au cœur de l'amour*, p. 134. Editions Le Sarment-Fayard.

fragilités familiales se retrempent dans la force de la Présence du Christ au milieu d'elle. Alors, *dans une certaine mesure*, on peut, *sans trop grands risques accueillir des jeunes en cheminement de guérison*, l'espace d'un repas, d'une nuit, d'une semaine ou de plusieurs mois.

En signe de désir de partager, de plus en plus de jeunes couples demandent qu'à titre de cadeaux de mariage, amis et parents fassent un don à des plus pauvres [87].

CES REMÈDES GRATUITS, SUR LA TABLE DE NUIT ?

Que de foyers se sont disloqués, parce que ces points, ou l'un des trois, n'étaient pas vécus ! Par contre, que de ménages sur le point de se briser, ont connu l'élan d'un nouveau départ, la fraîcheur de leurs fiançailles, le souffle du matin de leur mariage, simplement quand ils ont accepté, souvent sur la demande suppliante de leurs enfants ou de leurs grands jeunes [88], de prier ensemble,

---

87. « Deux jeunes gens sont venus nous voir. il m'ont donné une grosse somme d'argent, et je leur ai demandé d'où venait cet argent - car à Calcutta, nous nourrissons quelque neuf mille déshérités par jour. Ils m'ont dit : « Nous nous sommes mariés il y a deux jours et avant le mariage nous avons décidé de n'avoir ni fêtes ni vêtements de noce et de vous donner l'argent équivalent. » Et je sais très bien combien, dans une famille hindoue, cela représente de sacrifice ! Je leur ai demandé : « Pourquoi avez-vous fait cela ? » Vous ne devinerez jamais la réponse qu'ils m'ont faite : « Nous nous aimions tellement que nous désirions partager la joie d'aimer avec les personnes que vous servez. » Mère Teresa de Calcutta.

88. Un enfant de 8 ans, devant ses parents se disputant : « Souvenez-vous de votre mariage ! »

de se faire petits l'un devant l'autre. Parfois d'appeler un prêtre ou des amis mariés, ayant la confiance des deux, pour partager et se réconcilier.

J'en ai même connu qui, à la veille du divorce, ont connu cet imprévisible renouvellement dans la grâce du mariage. Car elle est toujours là, toute prête à jaillir dès que la source en est désensablée.

Il suffit parfois de si peu de choses pour cicatriser une blessure! Un regard! Un sourire! Un geste de tendresse! Une parole! Un cadeau! Mais qui donc y fait appel? Qui donc tend la main vers ces médicaments, toujours à portée de main, toujours offerts?

Non, ne laisse jamais mourir en toi la grâce de ton mariage. Rends-la active. Fais appel à ce qu'elle peut encore et toujours te donner. Petite semence qui ne demande qu'à croître, à fleurir. Y crois-tu?

Et du coup nous voici rendus au sommet vers lequel tendait tout ce livre. Et chaque chapitre n'était qu'une étape de cette longue ascension. Prière, Pardon, Partage, se retrouvent rassemblés, unifiés dans l'Eucharistie. Prière, Pardon, Partage conduisent à Jésus. Le Pain: Lui-même, en personne!

III

LE CORPS DE L'AMOUR
GUÉRISON DE L'AMOUR DU CORPS

« Je suis le Pain *vivant*
qui en mangera *vivra* à jamais.
Le pain que je donnerai
c'est ma chair pour la *vie* du monde. »
Jean 6, 51

Au seuil de ce dernier chapitre :

Ces pages sont peut-être ardues. Pour être franc, je t'avouerai que pour saisir il faut faire un saut dans le vide d'une folle confiance, comme on saute en parachute. Cela n'est pas possible sans une intervention de Dieu dans ton cœur. Mais tu peux la provoquer, la Lui demander, au moins la désirer. Alors tu comprendras du dedans. En attendant, tu peux lire de l'extérieur, ne fut-ce qu'à titre informatif : voilà ce que pensent et aiment les chrétiens, ce dont ils sont tellement sûrs, qu'ils préféreraient perdre la vie que ces évidences du cœur.

Je te traite ici en homme ou femme ouvert aux expériences des autres, même si tu n'y adhères pas personnellement. Par ailleurs, tu as droit à des évidences solides. On ne donne pas de la bouillie de bébés à des athlètes. Je n'ai rien voulu édulcorer sous prétexte que tu ne serais pas capable de comprendre, ou d'y adhérer. Ce serait te mépriser. Ton intelligence a plus de ressources, et ton cœur plus de sources, que tu ne le penses. Ce que même des enfants accueillent, tu es capable de t'y ouvrir.

Tu peux aussi lire, sans tout comprendre du premier coup. Plus tard des choses pourront s'éclaircir. Si tu cales, tu peux remettre à plus tard. La seule chose que je te demande : ne pas te moquer de mes affirmations. Des millions d'hommes et de femmes, de jeunes et d'enfants en ont vécu, en vivent encore, y trouvent équilibre, bonheur et plénitude. Des centaines de milliers, aujourd'hui comme hier, ont versé leur sang plutôt que d'affirmer le contraire. Par respect pour eux, accueille donc sans juger et sans rire, ce qui pour eux est plus beau que la vie, plus fort que la mort, plus grand que leur cœur.

1

LE CORPS DE DIEU

UNE FANTASTIQUE STROBOSCOPIE

Après avoir tant parlé de ton corps, nous tourner maintenant vers le corps d'un Autre. Un corps tout à fait spécial, mais tout aussi authentique que le tien. Je vais donc flasher sur ta sexualité le plus fantastique des faisceaux de lumière. Sa violence et sa douceur l'éclaireront. Comme le soleil déchiffre un vitrail.

Dis-moi quelle est la chose que Dieu était incapable de donner à son Fils, son grand problème pendant des siècles ? Comment lui donner cette chose dont il avait absolument besoin pour refaire l'harmonie brisée de la création, pour reprendre en main sa création ?

Cette chose : eh bien ! c'est un corps ! Dieu n'a pas de corps. Et voilà que l'homme ayant un corps, il fallait sauver l'homme par son corps. Nécessité vitale - vitale pour nous - s'il voulait guérir tout de l'homme.

Des siècles durant, il a préparé la naissance d'une jeune fille. Un beau jour, comme un petit pauvre, il vient lui mendier un corps ! « Est-ce que tu veux bien donner à mon Fils ton sang, ta chair, la couleur de tes yeux, les traits de ton visage ? » Et Marie - en mon nom, en notre nom à tous - a donné à Dieu mes mains, mes lèvres, mes oreilles, mes yeux, tous les membres de mon corps, et surtout ce cœur d'homme où toute la tendresse de Dieu pouvait venir battre.

Oui, Dieu a voulu connaître ce bonheur, inconnu jusque-là : avoir une maman. Il a voulu faire cette expérience neuve pour Lui : être soumis à nos conditionnements de chronologie et de géographie : être limité par un temps et un lieu. Il n'a pas vécu en deux époques ou en deux lieux différents. Comme toi et moi, Jésus est l'enfant d'un peuple, d'une race, d'un pays, d'une époque. Il a une famille, des parents, des ancêtres. Il n'est pas le fruit d'une génération spontanée. Il s'insère dans une longue lignée. L'Evangile s'ouvre par sa généalogie [1].

Le sang de Jésus a coulé jusqu'à Lui, comme une cascade, de génération en génération. Depuis Adam, l'humanité portait en ses flancs la semence qui un jour donnerait naissance à Dieu. Mais pour qu'il ne soit pas un pécheur de plus, pour qu'il puisse effectivement arracher l'homme au péché, au mal, à la mort, il fallait qu'il soit absolument invulnérable au péché, innocent de tout mal, et d'avance victorieux de la mort. Il fallait que le sang contaminé, par tous les microbes du péché, soit d'abord totalement purifié en sa mère, pour qu'elle lui transmette une chair, un sang vierges de toute infection [2]. Par une sorte d'opération chirurgicale, Marie va être totalement préservée de cette pandémie (comme on

---

1. Et toi, t'intéresses-tu à ta généalogie, comme de plus en plus de jeunes, en quête de racines font, durant les vacances, des recherches généalogiques dans leurs communes d'origine ?

2. C'est ce qu'on appelle : *l'Immaculée Conception* de Marie.

le dit du Sida) : « Non, le péché originel ne passera pas par moi ! » L'universelle contagion est neutralisée. Un sang-lumière circule en ses veines : par transfusion, (tu vas voir comment) il pourra désinfecter le sang pollué de l'humanité malade.

Cette absolue limpidité de Marie, sans l'ombre d'une complicité avec le péché, est paradoxalement ce qui lui donne de mystérieuses connivences avec ceux qui sont plongés dans l'impureté. N'ayant jamais dérapé, elle peut relever ceux qui sont dans le fossé. Au pied de la Croix, deux Marie : l'Immaculée et la Prostituée : l'une sauvée *par avance,* l'autre *après coup :* comme elles s'entendent, comme elles se ressemblent !

ENFIN DU JAMAIS VU, DU JAMAIS FAIT, DU JAMAIS PENSÉ !

Seconde « opération chirurgicale » de Dieu : Jésus va naître sans intervention charnelle d'un homme. Dans un monde vieilli par le péché, voici tout à coup, l'irruption totalement imprévisible de quelque chose jusque là jamais possible. Un monde radicalement neuf est là. Jésus est conçu en direct de Marie, par une intervention immédiate de l'Esprit-Saint, à l'intérieur d'un amour fou, mais hors de tout rapport sexuel [3]. Elle est fécondée par Dieu, non par Joseph.

Dis-moi, pourrait-il en être autrement pour un homme qui est effectivement le Créateur même de l'homme ? Donc en tant que Dieu, Jésus tient tout en direct de son Père au ciel. En tant qu'homme, en direct

_____

3. C'est ce qu'on appelle : *la conception virginale* de Jésus.

d'une mère sur terre. En lui, terre et ciel enfin s'embrassent, dans une étreinte brûlante que rien plus jamais ne pourra briser. Fallait-il que Dieu soit assez amoureux fou de l'humanité, pour venir l'épouser ainsi jusqu'en sa chair ? Le sexe en est à tout jamais consacré !

En son humanité, il a donc tout reçu *exclusivement* de cette jeune fille. C'est pourquoi jamais un enfant n'a autant ressemblé à sa mère ! De même que jamais un enfant n'a choisi sa mère, puisqu'il existait avant elle, en tant que Dieu.

Que tu y croies ou pas, c'est ainsi. Aujourd'hui tu en doutes. Un jour, tu le sauras, tu le verras.

Voici donc cette séduisante Jeune Fille, dont la transparence n'a jamais connu une ombre. Et dire qu'elle existe ! Qu'invisiblement, elle peut partager ta vie, si tu l'invites chez toi. Et pour comble, en même temps que *vierge,* elle est *épouse* ayant follement aimé son Joseph, amoureux d'elle comme on ne l'a jamais été. Et enfin, comble du comble, elle est *maman* , ayant vécu sa maternité dans toutes les fibres de son être, comme jamais une femme n'a pu le vivre.

Comprends-tu maintenant comment Marie restaure à tes yeux éblouis tout à la fois la *virginité,* tellement déflorée ; le *mariage,* tellement tourné en dérision ; la *maternité,* tellement caricaturée. D'une pierre trois coups !

Comment t'étonner alors de son étonnante présence, de ses interventions si fréquentes, qui ressortent en tant de témoignages ? Et toi, tu la laisserais sur le trottoir ?

DIEU VU EN ÉCHOGRAPHIE

Tout cela pour dire que Dieu n'a pas voulu être parachuté avec un corps tout fait, ayant 30 ans du premier coup. Il a loyalement commencé par le tout début. Il a voulu passer par tout ce que tu as vécu. En commençant par être un embryon de quelques secondes, minutes, heures, jours et semaines. Dès la troisième semaine, si on avait pu lui faire une échographie, on aurait repéré déjà, en train de palpiter, ce muscle minuscule non encore formé, fermé : ce Cœur qui un jour sera déchiré sur la Croix et restera à jamais grand ouvert. Il a connu l'imaginable complicité et physiologique et spirituelle que tu as vécu avec ta mère. Pendant neuf mois, il a entendu sa musique de fond, les battements de son cœur à Elle. Il a été vulnérable, réceptif, à tout ce qu'elle vivait, pensait, sentait, faisait, aimait. Bref, tout ce que la science découvre sur la vie intra-utérine, Dieu l'a connu. Il peut donc guérir toutes tes blessures remontant à ce temps de gestation qui nous a marqués tous pour la vie. D'autant plus qu'il est le Seul à s'en souvenir (avec ta mère, qui doit se rappeler parfois ce qu'elle vivait ce moment-là) puisque, dans son éternité, tout ce qui pour toi s'est passé autrefois, se passe maintenant.

Ensuite, il a voulu naître, être élevé, apprendre à parler, marcher, travailler. Il a eu 1, 2, 3, 4, 5, 6, 7, 8, 9, 10, 11, 12, 13, 14, 15, 16, 17, 18, 19, 20, 21, 22, 23, 24, 25, 26, 27, 28, 29, 30, 31, 32, 33 ans. Pas une de tes années qu'il n'ait traversées. Son corps a été vulnérable à la fatigue, la faim, la soif, le sommeil, peut-être la maladie, en tout cas la souffrance, et jusqu'à la mort. La tentation, il sait ce que c'est, jusqu'en sa chair, mais sans jamais y céder, pour pouvoir justement t'en délivrer. Je n'ai donc jamais honte à lui parler de mes problèmes sur ce point. Comme personne, Il saisit : comme personne, Il guérit.

Non, son Corps n'est pas une apparence. Il n'a pas fait semblant. Il n'a pas frimé. Jésus n'est pas un fantôme.

Et si Dieu a voulu avoir un corps, c'est pour nous montrer, dans ce corps même que le mal blesse le Cœur de Dieu. Il ne suffisait pas de le dire avec des mots, il fallait pouvoir le sentir, toucher, voir ! Dans la chair de Jésus je sens, touche et vois à quel point le péché fait mal au Cœur de Dieu.

Scandale qu'un Dieu ait voulu non pas se faire ange, mais ait voulu assumer ce qu'il y a apparemment de plus pauvre, de plus fragile, de plus misérable. Le platonisme dirait qu'il s'est emprisonné dans un corps. Mais non ! *Dieu s'est fait Corps*. Je crois qu'il y aurait beaucoup moins de gens qui se disent chrétiens, s'ils réalisaient ce que cela signifie, tellement c'est inouï !

Mystère inaccessible, incompréhensible, pour les philosophies extrême-orientales, pour l'Islam. Comme pour le judaïsme, mais par un autre biais. C'est vraiment la pierre d'achoppement sur laquelle toutes ces religions butent. Et sur laquelle achoppent toutes les hérésies. On y recherche toutes les explications possibles et imaginables pour dire que Dieu n'a pas vraiment souffert, son corps n'était qu'une apparence… ! Au long des siècles, on a inventé tant de thèses, de théories, pour évacuer ou minimiser le Corps de Jésus ! [3bis]

3bis J'ai creusé tout ceci dans : « *Le corps de Dieu* », DDB, 1981.

2

CETTE CHOSE QUI DEVIENT UNE PERSONNE

Eh bien, ce corps de notre Jésus, il n'a pas été un élégant pardessus, emprunté pour quelques années, puis relégué au placard ou donné, après usage, au Secours Catholique.

Il l'a gardé pour toujours, toujours. Il est revenu à la vie, en pleine nuit de Pâques, avec ce même Corps qui avait été conçu dans le sein, bercé dans les bras de Marie, qui avait trimé, été torturé. Mais maintenant pénétré de gloire, à jamais invulnérable, à la souffrance, à la maladie, à la mort. Un Corps Soleil. Jésus, *maintenant encore,* garde mes mains, mes yeux, mon visage, mes os, ma chair, mon sang, et mon cœur d'homme. Cela pour l'éternité.

Tu vas me dire : OK, là-haut quelque part dans un monde éthéré ?

Eh bien non. Avant de nous quitter, et pour ne jamais nous quitter, il a voulu remettre dans les mains de ses premiers amis, un peu de pain sur lequel il a dit : « *Ceci, c'est mon Corps.* » Ce qui veut dire tout simplement : « *C'est moi !* » Il leur a demandé de continuer en son Nom à dire ces mêmes mots, sur d'autres morceaux de pain. Et non seulement eux, mais ceux qui leur succède-

ront. Et voilà que de génération en génération, des hommes - on les appelle des prêtres - disent exactement les
mêmes paroles de Jésus sur des quantités d'autres bouts
de pain, et ils en deviennent chaque fois le *même, unique, identique* Corps du *même, unique, identique* Jésus.
Car ce sont des paroles qui font ce qu'elles disent,
comme seul Dieu peut en dire. Des paroles créatrices, du
même type que celles qui ont lancé les galaxies dans
l'espace, lors de ce Bing-Bang originel provoqué précisément par le premier cri d'amour de Dieu dans le vide : et
le cosmos est là.

Ce pain devient Corps de Jésus, par la parole d'un
prêtre, et par l'intervention directe, immédiate de Dieu
(comme lors de la conception de Jésus). Le prêtre et
l'Esprit-Saint : jamais l'un sans l'autre : même complicité, concertation, collaboration qu'entre Marie et ce
même, unique, identique Esprit-Saint. Pain et Vin en
deviennent *même, unique, identique* Chair et Sang que
l'homme a donné, par Marie, et que Dieu a reçu de
Marie. Chaque messe, c'est l'Annonciation, c'est Noël.

Non, ce Corps *actuellement* vivant de Jésus au ciel, ce
Cœur *en train* de battre dans une chair humaine, ces yeux
de Jésus (qu'ils soient bleus ou bruns, je ne sais pas, mais
ils sont l'un ou l'autre), cette humanité merveilleuse
n'est pas reléguée dans une lointaine gloire. Elle est là, à
portée de main. Je peux la prendre dans mes mains. Mais
sous forme de pain et de vin, pour ne pas me révolter
devant l'horreur de manger de la chair, et boire du sang.
Pour se donner à moi, dans la calme beauté des choses
les plus simples, les plus ordinaires, les plus banales de *la*
vie. Et ainsi transformer du dedans les choses les plus
simples, les plus banales, les plus ordinaires de *ma* vie.

Ainsi, une simple chose, devient tout à coup, une

Personne. Et quelle Personne! Celle même de mon Créateur et de mon Sauveur. Qui vient ainsi me sauver, mieux: me créer à neuf. Fabuleuse transmutation: un peu de matière devenant Celui-là même qui l'a faite. Et partout dans le monde ou dans l'histoire ces mêmes paroles sont dites sur des milliers de bouts de pain différents. C'est partout et toujours, le *même, unique, identique* Corps du *même, unique, identique* Jésus. Fabuleuse unité quasi-physique des hommes entre eux quel que soit le lieu du globe ou l'époque de l'histoire.

Que tu le saches ou non, que tu y croies ou non, que tu y penses ou non, c'est cela qui se passe à chaque *messe* - aussi pauvrement célébrée soit-elle. C'est cela qu'on désigne du terme technique d' *Eucharistie* (ce qui veut dire : merci !).

PAS DE VIE PHYSIQUE SANS VIE EUCHARISTIQUE

L'Eucharistie ! Autant banalisée dans l'Eglise, que l'est la sexualité dans le monde ! Entre chrétiens, on est devenu aussi pudique sur la messe qu'on l'était sur la tendresse. Le tabou s'est transféré du sexuel à l'autel. Et pourtant comment les relier l'un à l'autre ? Le Corps de Jésus est si étroitement lié à notre corps, jusqu'en sa sexualité, qu'on ne peut plus les séparer. Expérience quotidienne d'une multitude grandissante de jeunes : le Corps du Christ est le lieu de la guérison de toutes nos sexualités perturbées.

N'est-ce pas dans le Corps de Jésus que j'ai et la vie et l'être ? Puisque je tiens mon existence des mains de Dieu, et puisque Dieu est tout entier dans le Corps de Jésus, en bonne logique cartésienne, il me faut conclure :

mon corps n'est pleinement à moi que lorsque je suis au Christ. Je n'habite mon corps qu'en habitant le Corps de Jésus ! Mon corps n'est moi, pleinement, que lorsque le Christ vit en moi. *Mon corps fait partie du Sien !*

L'Eucharistie donne l'union la plus spirituelle qui soit, mais à travers une communion corporelle qui se voit. Si elle est une réalité autant physique que spirituelle, il n'est pas possible que ta sexualité - elle aussi autant physique que spirituelle - n'en soit pas affectée. C'est ton corps en sa globalité qui est atteint par le Corps de Jésus en son intégrité.

UNE ÉTREINTE NON SEXUELLE, MAIS NUPTIALE

Son âme s'unit à la tienne, son esprit au tien, parce que sa chair s'entretisse à ta chair, et que son sang vient couler dans tes artères. Contact immédiat, tangible, palpable, oui, physique.

Mais seuls les yeux du cœur le voient, Je ne le *sens* pas. Je le *sais*.

A la communion se consomme et se consume - parce que c'est du feu - une union d'ordre nuptial. Pas de parabole plus parlante, plus saisissante de la communion que l'étreinte sexuelle. Les jeunes d'aujourd'hui comme les saints d'hier le savent : « Recevoir le Corps du Christ, c'est recevoir du Seigneur un baiser éternel. » (Malika, 18 ans.)

Ceux qui ont vécu des relations sexuelles dans un très grand amour, peuvent comprendre d'une manière très intime et très intérieure cette union nuptiale de l'Eucharistie.

Ce mot de Christelle : « Il m'a prouvé qu'il m'aimait.

Quand il est dans mon corps, je n'existe que pour Lui. Je ne suis qu'à Lui. Pour moi, faire l'amour c'est tellement beau, quand on est avec quelqu'un dont tu connais ce qu'il a pour toi dans le cœur. » Puis-je dire cela après chaque communion ?

Son Corps et ton corps : plus deux ? plus qu'un ? Es-tu vraiment « concorporel » et « consanguin » du Christ ? Toutes les religions du monde ne peuvent ici que se révolter ou se prosterner. Ainsi que nous autres occidentaux, cérébraux au point de ne plus savoir ce qu'est notre corps. Le Seigneur est donc pour ton corps, et ton corps est pour le Seigneur. Destinés l'un à l'autre. Je n'invente rien. Relis l'étonnant passage de notre frère Paul aux frères de Corinthe. Oui, Son Corps est pour le tien. Et dans ce don mutuel de vos corps, livrés l'un à l'autre, tu ne fais plus qu'un esprit avec Lui. Dans l'échange des corps se vit la communion au même Esprit. Quand ton corps reçoit le sien, ton âme s'ouvre à l'Esprit donné au prix de ce Corps. Son Corps imbibé de l'Esprit vient faire de ton corps la demeure de l'Esprit.

CE « CORPS A CORPS » AVEC DIEU

Jeunes et moins jeunes retrouvent aujourd'hui les expressions mêmes des saints des premiers siècles :

« Dans l'Eucharistie nous ne savons plus qui est qui, car entre le Père et nous, entre le Bien-Aimé et nous brûle cet Esprit d'Amour. Ce Feu qui brûle est l'enchevêtrement de nos deux flammes d'amour, qui éclatent soudain en un immense brasier où règne la plénitude de l'Amour.

Cette plénitude est si grande que tout plaisir humain

est bien fade à côté. Ce *don de l'amour est si fort* que *la chasteté*, je pense, *se vit d'elle-même*. C'est pour cela que l'Eucharistie est un besoin vital pour nous et *quotidiennement*. Il m'arrive de rester plusieurs jours sans participer à l'Eucharistie, et alors, vivre la chasteté est très dur et parfois impossible.

La chasteté qu'il y a à vivre dans l'acte sexuel est le respect de celui qu'on aime car son corps est habité par Dieu. Cela, je crois qu'un couple ne peut le vivre que dans le mystère de l'Eucharistie, qui dépasse toutes les passions pécheresses de l'homme » (*Chantal*, 16 ans).

Catherine de Hueck, dans sa lettre aux prêtres : « Certains disent que vous devez vous marier, pour savoir comment aimer. J'ai été mariée deux fois (son second mari est d'ailleurs devenu prêtre). Eh bien ! ce qu'on appelle l'extase de la chair, je sais ce que c'est, mais je l'affirme : une réception du Corps et du Sang du Seigneur est une extase au-delà de toute intelligence. La pénétration dans mon âme de ce plus fantastique des amoureux fait pâlir tout le reste » (*Dear Father*, p. 64).

« VAIS-JE OBLIGER JÉSUS A SE PROSTITUER ? »

Résultat : ton corps ne t'appartient plus. Il est habité. Il te déprend de toi-même. Son Corps l'a rendu pauvre : dépendant et solidaire des hommes. Vulnérable aux coups. Et maintenant son Corps te rend pauvre : dépendant et solidaire de Dieu. Vulnérable à son Amour.

S'il en est ainsi, je pose la question carrément : comment discerner le Corps de Jésus dans le Pain Consacré, si tu ne discernes pas le Temple de l'Esprit dans ton propre corps, comme dans celui des autres ? Comment respecter la Présence dans l'Eucharistie, sans la respecter dans ta chair ? Violer cette Présence dans un corps de chair, ou profaner l'Eucharistie c'est, dans les deux cas, de l'ordre du sacrilège. Et pour quelqu'un qui communie, forniquer, n'est-ce pas une manière de « prostituer Dieu » ?

> « Ma propre sœur et son ami m'ont dit que si je voulais me marier, je devais coucher avec n'importe qui du moment qu'il pouvait me plaire. Paroles choquantes qui m'ont fait mal. Et parce que je suis au Corps du Christ, il est bien évident à mes yeux que je ne peux pas faire cela, ce serait comme si j'obligeais Jésus à se prostituer. Je suis enfant de Dieu, sœur de Jésus, je dois ma vie à l'Amour de Dieu, mon rachat à l'Amour de Jésus. Comment est-il possible de penser à une telle chose ? C'est une chose avilissante que j'infligerais au Corps de Jésus ? » (Katy, 18 ans.)

MA PAUVRETÉ SEXUELLE REJOINT SA PAUVRETÉ SUR L'AUTEL

Une des plus bouleversantes messes de ma vie : celle au pied du lit de Frank dans cet hôpital où 2000 malades souffrent, espèrent et aiment. Jamais, je n'ai entendu avec un tel accent de vérité : « Seigneur, je ne suis pas digne de te recevoir, mais dis seulement une parole et je serai guéri » et d'enchaîner : « C'est ton Sang que je veux, c'est mon âme qui doit être guérie ! »

Le lendemain à un ami :

> « Nous avons célébré l'Eucharistie ici dans cette petite chambre. Joie, Amour, le Seigneur nous a vivifiés. Il nous a comme enduits d'un parfum qu'il répandait en nos

cœurs depuis son Cœur et surtout, j'ai pu communier à Son très Précieux Sang. Son Sang coule en mes veines, en mon sang malade, contaminé... Le Seigneur est vraiment un Dieu Amour et Espérance. »

D'un autre profondément perturbé sexuellement : « Je suis en train de guérir par la Pauvreté eucharistique, qui rejoint ma pauvreté sexuelle. »

Ta sexualité débridée, Son Corps de Lumière vient la guérir. De communion en communion.

Elle *réajuste* le physiologique et l'amour disloqués : n'est-elle pas relation physique dans une plénitude d'amour ?

Elle *harmonise* Corps et vie débranchés l'un de l'autre : elle est l'entretissement de deux existences, celle de Dieu et la tienne.

Elle *ressoude* l'âme et le corps divorcés : elle est l'âme et le corps de Jésus donnés l'un à l'intérieur de l'autre.

Elle *humanise* une sexualité animalisée : elle te place à ce niveau d'amour pour lequel ton cœur est fait.

Elle *personnalise* une sexualité anonymisée : elle fait *de quelque chose Quelqu'un, d'un objet une Personne, d'une chose un Etre Vivant.* D'abord avec le pain. Ensuite avec ton propre corps.

Elle *ajuste* la sexualité à la création. Elle en fait une transmission de la vie : je m'y laisse recréer par son souffle de vie, pour engendrer dans l'amour.

L'Eucharistie *unifie* ton cœur et résorbe peu à peu ton propre divorce intérieur. Elle t'évite les pièges d'un amour qui risque de t'enfermer, de t'enferrer dans un narcissisme stérile. A force de communier, tu finiras par dire, d'expérience : « Mon corps n'est à moi que lorsque je suis au Christ, pleinement. Mon corps n'est moi, que lorsque le Christ vit en moi. »

Bref, l'Eucharistie *te rend digne de ta sexualité*. Elle en fait à nouveau le langage le plus fort de l'amour : n'est-elle pas porteuse de l'amour le plus fou qui soit ?

LUI N'A PAS JOUÉ AVEC SON CORPS !

En sortant de la messe, Chantal, 17 ans, toute boule-versée : « En voyant l'hostie dans mes mains, j'ai compris : Jésus n'a pas *joué* avec son Corps. Il me l'a *livré*. » Quelle différence ? « Livré, c'est se donner tout entier, une fois pour toutes et pour toujours ! » D'un seul regard, elle avait saisi ce qu'aucun livre, aucune discussion ne lui avait donné : le sens du mariage. Elle ne pourrait plus donner son corps, pardon, se donner avec son corps — sinon comme Lui, en son Eucharistie.

Alors, comment recevoir le Corps de Dieu, donné dans un amour qui aime jusqu'au bout en ayant des relations sexuelles hors d'un amour livré jusqu'à la fin ? C'est-à-dire toujours ?

Saisissant de voir ces jeunes découvrir d'eux-mêmes le lien si étroit entre Charité Eucharistique et chasteté physique.

> « Si on n'a pas la pureté, on risque et on abîme le Corps de Jésus, la Pureté par excellence. Peut-on faire participer Jésus à notre péché ? Si oui, alors il recourt à l'intervention, au pardon. La pureté et la chasteté, c'est contagieux. » (Jean-Marie, 17 ans.)

Parce que nous y recevons la Pureté même, se donnant librement en son Corps.

> « Durant toute mon adolescence -très frustrée d'amour - j'allais devant le tabernacle, répétant sans

cesse : « Je crois que tu es l'amour. Je crois que tout l'amour du monde est en toi. Mais l'amour qu'est-ce que c'est ? » Lorsque des garçons me sollicitaient, je sentais quasi physiquement que si je leur cédais, sans la bénédiction de Dieu, c'est-à-dire contre mon âme, il y aurait comme une barrière entre moi et l'Eucharistie. Je ne pourrais pas communier. Ce serait trahir ma relation avec Jésus. » (Véronique, 28 ans.)

Je disais que livrer son corps en série court-circuitait la possibilité d'une relation d'unicité avec quelqu'un, aimé comme unique au monde. Et par là même, on devient aussi incapable de saisir le prix infini du Corps de Jésus donné dans l'Eucharistie. Et combien ce Corps livré est porteur de l'Amour à l'état pur.

Claire : « Pour que l'Esprit puisse féconder, il faut un corps tout pur, tout à fait libre. »

IL ME FAUT UN CORPS ! UN CORPS QU'ON TRAITE COMME UN OBJET

N'est-ce pas le Corps de Jésus qui a rendu sa véritable identité à Myriam de Magdala, dont le corps était devenu lui-même un tabernacle violé ? En voyant ce Corps livré à la Croix, elle a dû sentir que le sommet de l'amour était là, et qu'elle ne pourrait plus ni quitter Jésus ni quêter l'amour ailleurs. Est-ce pour cela que certaines femmes qui doivent se prostituer se sentent mystérieusement attirées par l'Eucharistie ?

Dans une grande ville de France, je connais une fraternité en plein centre de commerce sexuel. C'est bouleversant d'y prier. D'offrir le Corps livré de Dieu, là même où le corps de ses enfants est marchandé. Une des amies des petites sœurs, acculée au trottoir, s'y tient de manière à voir briller la petite lampe, à travers le rideau de la fenêtre : « Je pense que Jésus est là, et que malgré tout il m'aime. Et ça m'empêche de désespérer ».

Avait-elle pressenti que Jésus en son Eucharistie s'est comme mis du côté de tous ceux qui sont traités comme des objets ? Il se donne *sous forme* d'objet, de chose. Et, effectivement tant de gens traitent une hostie comme un objet, une chose et non comme une Personne (il suffit de voir comment certains communient !). Bien pire : l'Hostie sainte est souvent volée pour des cultes érotiques ou sataniques, des messes noires, des consécrations à Satan. Est-ce tellement différent des innocents kidnappés pour le commerce aussi sexuel que cruel ?

Je me souviens de cette nuit aux alentours de la rue Saint Denis à Paris. Pendant des heures, deux à deux, nous avions accosté ceux et celles qui attendent et se proposent, et ceux et celles qui viennent consommer. Les invitant chacun, personnellement, à une veillée dans l'église Saint Leu, perdue au milieu des sex-shops. A notre grand étonnement, nombreux furent ceux qui répondirent à la discrète invitation. Pendant que l'on chantait la belle liturgie de la Résurrection du Christ, ils entraient et sortaient. Certains ne faisant que passer, d'autres restant un peu plus, quelques-uns très longtemps, jusqu'au bout. Lorsqu'à la fin, nous avons montré le Corps du Christ, c'était à eux d'être stupéfaits. Ils étaient venus s'amuser avec leur corps : ils se retrouvaient autour du Corps de Dieu !

Ah ! le cri du cœur d'une de ces femmes longtemps prostituée, et qui maintenant a une vraie fringale eucharistique. Dès que le Corps de Jésus est quelque part montré, elle se précipite pour le regarder : « *Il me faut un corps !* » [4]

CET ÉBLOUISSEMENT QUI GUÉRIT D'UN AVEUGLEMENT

Dans l'Eglise catholique, nous avons ce bonheur sans nom : pouvoir à toute heure du jour et de la nuit, nous tenir auprès du Corps de Jésus, même en dehors de la messe, où il est « fait ». Dieu merci, car une messe on ne peut en avoir tout le temps, en trouver partout (il faut chaque fois un prêtre !) et de toutes manières, elle ne peut durer trop longtemps. Du coup, me voilà frustré si je veux demeurer des heures de simple intimité avec lui. C'est pour nous prouver que sa Présence — comme son Amour — est permanente, ne cesse pas un instant, qu'Il demeure dans ce qu'on appelle un tabernacle. Il y en a dans chaque église. Donc chaque église, c'est ta maison. Tu as le droit le plus strict d'y aller, de la faire ouvrir si elle est fermée, et d'y adorer Jésus. De plus, on peut montrer le Corps de Jésus sur l'autel (en termes techniques : l'exposition du Saint-Sacrement). On s'expose alors aux rayons guérissants du Corps-Soleil. Et cela vaut toutes les thérapies aux rayons.

Avant de se *recevoir*, il aime se donner à voir. Le regard est la fenêtre du cœur. Jésus le sait qui dit : « Si ton regard est clair, tout ton corps est dans la lumière ! »

---

4. « Son Corps est mêlé à nos *corps*.
   Son Sang très pur diffusé dans nos *veines*.
   Sa voix envahit nos *oreilles*,
   Sa splendeur, *nos pupilles*.
   Tout entier il est *mêlé* à nous tous par sa miséricorde ».
   St Ephrem, *Hymne sur la Virginité,* 37, 2.

J'ai parlé de l'urgence d'une ascèse des yeux, là où la nudité des corps viole l'esprit avant de pousser au viol des corps. Mais, simplement s'abstenir de regarder, c'est trop négatif, donc impossible, s'il n'y a pas d'autres choses à regarder. Il y a déjà la beauté des visages purs et lumineux, la splendeur de la création, les visages des saints sur photos, la paix des icônes. Mais surtout, il y a le Visage même de Jésus, là où il est le plus beau, parce que le plus pauvre, le plus doux, le plus silencieux, le plus humble - donc le plus proche de nous : dans l'Hostie.

Il te faut *voir son Corps pour voir le corps* dans la vérité. Car finalement tu n'as qu'un seul regard. Celui que tu portes sur le Corps de Dieu peut-il être différent de celui que tu portes sur ton propre corps et sur celui des autres ?

Tes yeux, c'est la lampe de ton corps. Certaines images l'éteignent. Regarder ton Dieu la rallume. Et si ton regard en devient lumineux, ton corps tout entier sera dans la lumière.

Nos yeux sont malades, pollués qu'ils sont par trop d'insanités, aveugles qu'ils sont par trop de cendres, encore brûlantes mais déjà mortes, qui flottent dans l'air, comme aux jours de grand incendie dans la garrigue. Notre corps tout entier en est enténébré.

Oui, tes yeux, déjà flétris par trop d'images érotiques, ont besoin de se laisser guérir dans la calme contemplation du Corps de cristal et de soleil. *L'aveuglement par les cendres sera guéri par l'éblouissement de la Lumière.*

L'ADORATION : ANTIDOTE À LA CONSOMMATION

Regarder longuement, tranquillement le Corps de Jésus : comme cela apaise, unifie, simplifie le cœur ! Cela m'apprend à voir un beau visage, à m'en émerveiller sans arrière-pensées, sans désir de possession, mais tout simplement, tout gratuitement [5].

Rien comme l'adoration n'arrache l'amour à la catégorie consommation.

Quand Frank peut sortir provisoirement de l'hôpital, il file à Montmartre. Le cardinal Lustiger est justement en train de bénir Paris, avec le Saint Corps de Jésus. « A ce moment cette ville que je détestais pour le mal qu'elle m'avait fait, je me suis mis à l'aimer... »

« L'OMBRE PORTÉE SUR LES ÉPOUX »

Si l'amour est l'aventure la plus risquée qui soit, alors l'Eucharistie en est l'apprentissage magnifique et quotidien. Dans l'Eucharistie, l'Amour réalise tout ce qui se cherche à vivre dans le mariage : Jésus s'y charge totalement de ton *passé* qu'il veut guérir, et de ton *avenir* qu'il veut t'offrir, en te faisant *présent* de ton *présent*.

L'Eucharistie apprend à devenir responsable de l'autre et de son avenir. A découvrir l'autre dans sa durée. A l'aider à être ce qu'il est.

Splendeur d'une union conjugale transfigurée par la communion nuptiale de l'Eucharistie. Deux époux qui communient ensemble en toute vérité, peuvent-ils ne pas communier ensemble en tout amour ? Nulle part, comme

---

5. « Demandez à vos prêtres en France de vous donner l'adoration. Quand on regarde Jésus, on réalise combien Dieu nous aime maintenant » *Mère Teresa (France Catholique* 1er Juill. 88). Sur l'adoration voir mon livre : *Les Noces de Dieu où le pauvre est Roi*, DDB, 1983.

Les femmes devraient y jouer un rôle prépondérant.

dans l'Eucharistie n'éclate avec plus de magnificence la fidélité de Dieu, qui nous aime non pas malgré nos défauts, mais à cause d'eux ! Une fidélité conjugale ne peut qu'y puiser une jeunesse toujours neuve [6]. Jour après jour, il se re-donne à toi. Te fait une confiance absolue. S'en remet à toi, de son visage, de son corps, de tout lui-même !

Tant et tant de couples pourraient ici se lever et témoigner combien l'Eucharistie a été pour eux chemin de guérison, lorsque des fissures dans la maison sont apparues.

> « J'ai senti ce soir-là combien étaient fortes les grâces du sacrement de mariage, et combien Dieu répond à nos prières... Pendant la messe, je sentais à côté de moi la présence muette et tendue de mon mari et je priais presque douloureusement pour lui, pour nous qui étions à la fois si proches dans l'amour de nous deux et si lointains dans notre marche avec Dieu. Au moment de la communion, je le vis d'abord s'éloigner. Quand je le vis revenir et aller recevoir le Corps du Christ, il m'a dit : « Je me suis senti appelé. » Jamais je n'avais senti de façon aussi directe une réponse de Dieu. »

MON COEUR LE REÇOIT, LÀ OÙ MES LÈVRES NE PEUVENT COMMUNIER

L'Eucharistie n'est pas le symbole, mais *la réalité elle-même* de l'union - que rien ne peut dissoudre - entre :

---

6. « Pour nous mariés, la chasteté est aussi d'une Eucharistie à l'autre. Dans l'union eucharistique, il y a au moins un partenaire dont l'amour ne s'affadit jamais... et qui peut communiquer à l'autre son feu dévorant... » (Jean, diacre marié.)

d'une part Dieu et notre humanité (puisque c'est Jésus pleinement homme et pleinement Dieu à la foi) ; d'autre part Jésus et son Eglise (à qui il a remis totalement son Corps, sa Présence). Donc, ceux pour qui l'alliance du mariage a été brisée, et qui vivent une nouvelle union, (les divorcés non remariés à l'Eglise) ne peuvent logiquement communier : une communion ayant été rompue. Mais ce qu'il faut affirmer avec force : rien ne les empêche de vivre en enfants de Dieu, de vivre à fond l'Evangile, de rayonner les Béatitudes de Jésus, de se donner au service du Royaume. Et cela en plein cœur de l'Eglise. Dans la mesure où ils vivent leur vie de baptisé dans l'Amour.

On ne le clame pas assez : ils peuvent avoir une *intense vie eucharistique*. Ils peuvent et doivent *adorer* le Corps du Christ. Avec d'autant plus de ferveur qu'ils ne peuvent communier. Ils peuvent et doivent communier spirituellement : c'est-à-dire dans leur cœur désirer intensément recevoir le Corps de Jésus. Alors, tous les fruits de la communion peuvent être reçus, dans leur âme. Cette « communion du désir » est celle que doivent vivre tous ceux qui sont empêchés de communier physiquement : tant de malades, de prisonniers, de chrétiens en pays persécutés ou sans prêtres. Ils peuvent vivre une intimité eucharistique avec le Christ plus grande parfois que ceux qui communient matériellement, mais machinalement, par routine. Tout dépend du degré d'amour.

Ici, la parole à un amoureux de Dieu, faisant de cette situation infiniment douloureuse, non un chemin de croix, mais une messe vivante, où tout est offert dans l'amour.

DE MON ÉGLISE COMME DE MON PAYS

« Je n'ai jamais autant ressenti *le prix et le besoin* de l'Eucharistie que depuis que j'en suis privé, exclu, c'est le mot. Je comprends d'ailleurs la position de l'Eglise... Aujourd'hui je ne revendique rien. J'exprime simplement une douleur... Je ne juge pas l'Eglise catholique, ma Mère. Je m'y suis *tenu à ma place, celle du pauvre, du mendiant.* Au début, je choisissais de me réfugier derrière un pilier, d'où je suivais la messe avec intensité, au moment de l'élévation en particulier. La grandeur de ce mystère me traversait, me bouleversait l'âme ; j'ai bien tort d'en parler à l'imparfait car il en va encore de la sorte aujourd'hui, de plus en plus même. L'un de mes prochains romans portera sur l'Eucharistie, je l'intitulerai probablement *Les Chambres Hautes*. Il sera le fruit de cette longue abstinence eucharistique, à laquelle je dois *ce creux en moi qui me porte tellement à croire à la Présence réelle.*

Il y a bien des manières de communier, au demeurant ; même pour un divorcé remarié et si Dieu le permet. C'est la communion dite « spirituelle » : en priant de toute mon âme au moment où chaque communiant reçoit le Pain de Vie : « Ô Père, faites qu'il (ou qu'elle) Te reçoive, comme j'aimerais tant Te recevoir... »

D'ailleurs, aujourd'hui les divorcés remariés ne se sentent plus totalement étrangers dans l'Eglise. Ce qui nous est demandé, et instamment, c'est de vivre un peu plus dans l'amour, et d'y croire plus totalement si possible. Cela n'enlève rien à *la faim qui nous tenaille à chaque messe. Je mourrai sans doute sans avoir reçu à nouveau l'Eucharistie.* Je ne cherche pas à la recevoir en contrebande en tout cas. Mais on ne souffre jamais en vain, quand c'est en vérité qu'on vit les situations. *Je suis de mon Eglise comme de mon pays.* » *(Fernand Lequenne, juge d'instruction — Interview dans France catholique)*

J'AI PRÉFÉRÉ SON CORPS À UN AUTRE CORPS...

Il arrive que l'amour de l'Eucharistie soit d'une telle violence, qu'il aille jusqu'à un renoncement héroïque à vivre un autre amour, en dehors du mariage. On se sent tout petit, et tellement pauvre, devant une telle grandeur d'âme. Ce témoignage, comme le précédent, est à recevoir à genoux.

> « Je me suis retrouvée seule à 31 ans, avec deux enfants à charge (8 et 9 ans), sans aide financière. Pas de réponse aux cartes de fête, aux envois de bulletins scolaires... C'est dur. Une ou deux fois l'an, une visite d'un ou deux jours, et c'est tout. Mais nous recevions mon mari de notre mieux, mes enfants ayant appris à aimer sans juger.
>
> Ainsi allèrent les années, avec le désir de garder fidèlement l'image du bonheur enfui. Mais la séparation de corps ayant été prononcée assez vite vint aussi la prise de conscience plus profonde d'un non-retour. A ce moment, parce que j'étais plus vulnérable ou peut-être parce que l'amour s'était estompé, voici qu'un autre homme entra dans ma vie.
>
> Il me proposait le mariage, le confort : c'était un homme décidé qui, contrairement à mon mari, avait la foi, pouvait partager avec moi quelque chose de profond et vrai. Il était ouvert et acceptait mes enfants. Je me mis à l'aimer (ce n'était que de la passion, je l'ai su plus tard). Nous ne cohabitions pas, car il vivait encore en Allemagne ; mais nous nous écrivions tous les deux jours. Mes lettres étaient tour à tour pleines de joie et d'espérance,

puis pleines de doute, de tristesse, du désir d'abandonner
ce projet de vie future.

Pourquoi n'étais-je pas heureuse ? A cause de ma foi !
La fidélité au sacrement de mariage avait nourri ma vie
pendant si longtemps que d'y renoncer était pour moi
une déchirure. Mais d'autres jours, cela me paraissait
une déchirure plus profonde encore d'abandonner ce
nouvel amour.

Ce combat intérieur a duré plusieurs mois. J'en étais si
perturbée que je finis par prendre une décision. Je connaissais la position de l'Eglise par rapport au remariage :
si l'on se remarie, on ne peut plus aller communier. Or *il
m'était impossible de vivre sans Jésus*. Pour moi, Jésus
était «le Vivant» présent près de moi ; *j'avais besoin de
la nourriture qu'il me donnait dans son Corps et dans son
Sang. Tout à coup, je compris que c'était ce Corps sacré
qui était ma vie, mon essentiel*. Lui seul pouvait faire
pencher la balance et la décision que j'avais à prendre.

Alors, afin de savoir si je pourrais vivre sans recevoir
l'Eucharistie, plusieurs dimanches de suite, j'ai essayé
d'assister à la messe sans aller communier : je m'appli-
quais à prier davantage, à communier d'intention… Il me
fallut bien me rendre *à l'évidence : je ne pourrais pas tout
le reste de ma vie endurer les souffrances de séparation
d'avec mon Jésus dans l'Eucharistie*. Aller communier en
cachette dans une autre paroisse… à quoi cela me servi-
rait-il ? *Mon amour,* en ce temps-là, *était Jésus-Hostie, et
cet amour-là, je voulais pouvoir le vivre au grand jour*.

Alors je pris ma décision : j'écrivis ma lettre de rup-
ture. Le monsieur ne fut pas trop déçu : il avait appris à
me connaître, et se doutait un peu de mon choix, tout en
gardant un peu d'espoir.

Voilà ! Ce ne fut pas si facile qu'il le paraît peut-être
dans ces lignes. Mais *que de grâces m'ont été données à la
suite de ce renoncement ! Il m'est impossible de les dire
toutes. Mais ce que je peux dire, c'est que je ne l'ai jamais*

*regretté. Et je rends grâce au Seigneur pour la tendresse
profonde qui est née entre mon mari et moi, pour notre
confiance mutuelle.* » Wanda [7].

TOUT ENTIER CONSACRÉ À LA CONSÉCRATION

Et puis, il y a ceux qui ont d'avance et pour toujours
renoncé à vivre un amour humain, à fonder un foyer. Par
une sorte de débordement d'amour pour l'Amour. Celui
qui a ainsi livré sa vie à l'Amour ne peut tenir sans une
relation d'intimité avec Jésus en son Corps. Pour être
exclusivement livré à cette relation nuptiale, pour ne
vivre que d'elle, il ne veut pas en connaître d'autres.

Je parle d'expérience, vulnérable en ma sexualité
comme tout homme, je serais incapable de tenir dans la
Fidélité, sans ce contact personnel, jour après jour, avec
la Personne de mon Jésus. Seule l'Eucharistie (communion et adoration) me donne de tenir dans la chasteté.

Et le prêtre, lui, *se consacre tout entier à la consécration*. Il y engage son existence même, *jusqu'en son propre corps*. Il est l'homme d'un unique amour, simplement parce qu'il est l'homme de l'Eucharistie. Tellement
saisi par le mystère qu'il accomplit, que sa vie entière
n'est pas de trop pour l'exprimer. Ne doit-il pas *comme*
« enfanter » Jésus en son Corps Eucharistique, permettre
à Dieu d'y manifester le maximum de son Amour ? Lui
donner son existence eucharistique, un peu comme Marie lui a donné son existence humaine ? Alors, ne doit-il
pas, comme elle, connaître une virginité de lumière ?

---

7. Paru dans *La Croix* du 17 février 1987.

AIMER LE CORPS DE DIEU POUR RESPECTER LE CORPS DE L'HOMME...

Mais que ce soit pour des consacrés à Dieu, des personnes mariées, des fiancés, des jeunes cheminant en amour ou des adolescents luttant pour garder cœur et corps dans la lumière : pour tous, je pose la question : *sans l'Eucharistie est-ce possible de tenir ?* Hors de cette extraordinaire école de pureté, parce que d'amour, est-ce possible de ne pas déraper ? Car ici, le martyre d'amour de Jésus est présent et partagé. Et la chasteté est-ce autre chose qu'une *forme de martyre*, qu'une *norme de l'amour* ? Rien ne nous prépare autant au martyre que la chasteté. Et cette Eucharistie où Jésus me forge une âme de martyr, prête à résister jusqu'au sang.

Dans les récits de martyrs, c'est incroyable la place qu'y joue l'Eucharistie... C'est là que les jeunes Ougandais puisent la force de résister aux sollicitations de leur roi pédéraste. La nuit, ils font une heure de marche depuis le Palais pour une messe clandestine à la mission de Narakulongo. Forts du «Pain des forts qui se fait tendre dans la main des pauvres», ils marcheront jusqu'à ce bûcher où ils seront emportés par le feu. Ils débordent d'une telle joie que leurs bourreaux diront : «On dirait qu'ils vont à des noces.» C'est qu'ils viennent de cette messe qui anticipe les Noces du Ciel.

Oui, tous, quel que soit notre état de vie, nous pouvons dire : «Il me faut un corps !» Il me faut le Corps de Dieu ! Il me faut aimer le Corps de Dieu pour aimer le corps de l'homme. *Vénérer le Corps de Dieu pour respecter le corps de l'homme*.

Et la Pureté mérite qu'on meure pour elle !

3

TON CORPS EST ÉTERNEL COMME L'AMOUR

TON CORPS : CHAMBRE HAUTE D'UNE PENTECÔTE

La «chambre haute» est la pièce où les disciples de Jésus ont reçu le Saint-Esprit. La chasteté est impossible sans la Pentecôte. Et le Corps de Jésus à la messe est tout pénétré par l'Esprit-Saint. A la communion, je suis rempli de l'Esprit-Saint, je reçois toutes les énergies, toute la force glorieuse de l'Esprit-Saint. Cela dans mon corps. Il en devient un sanctuaire de l'Esprit-Saint.

C'est tout notre corps qui doit devenir un corps de célébration.

Il est urgent de retrouver dans la liturgie (la prière de l'Eglise), la splendeur des *gestes* : prosternements à terre, mains levées, inclinations, encens, luminaires, processions... bref, tout ce qui fait participer *notre corps* à la prière [8]. Pas seulement dans la liturgie, mais aussi dans

---

8. C'est parce que si longtemps, dans notre liturgie occidentale, le corps a été figé que tant de chrétiens se sont rués «à corps perdu» vers les techniques d'expressions corporelles comme le yoga. Symptômes d'une carence et d'un besoin.

notre prière personnelle [9].

Ainsi peu à peu, la prière se met à pénétrer ton corps, à doucement le transfigurer. L'Esprit-Saint se met à diviniser déjà ton corps, à le rendre beau : tu es fait pour la beauté. Non pas une beauté sensuelle, charnelle, caricature de la beauté. Mais une beauté divine. La Beauté de Dieu ! Ceux qui vivent d'un amour fort de Dieu, deviennent de plus en plus beaux.

As-tu déjà vu de ces femmes - vierges consacrées ou mères de famille - qui ressemblent de plus en plus à Marie ? Elles ont une douceur, une lumière, une tendresse maternelle toute mariale. Et de ces moines, de ces hommes consacrés au Seigneur même dans le mariage, de plus en plus ressemblants à Jésus. Parce qu'ils se laissent pénétrer par l'Esprit-Saint.

FAIT POUR LA GLOIRE, NON POUR LE TROTTOIR

Et pour finir, la chose la plus prodigieuse qui soit. Pour que tu puisses en supporter le choc, il fallait tout ce qui précède.

---

9. En Orient on a tellement insisté sur le lien entre la prière et la respiration. La « prière de Jésus » (Seigneur Jésus, prends pitié de moi pécheur), tout spontanément - ce n'est pas une technique - épouse le rythme respiratoire : l'inspiration et l'expiration et deviennent comme le symbole de l'Esprit-Saint dont le nom, précisément est Souffle. Quand Dieu donne la vie à Adam, il souffle. Il insuffle l'Esprit. Et la respiration est précisément un rythme relativement contrôlable et qui trahit aussi toutes les émotions. Il y a aussi le rythme du cœur, plus difficilement contrôlable. Double rythme du battement du cœur, et de la respiration. Et la prière doit s'y glisser pour que le corps soit le langage de notre prière.

Que le Corps de Jésus soit toujours vivant, cela veut dire : mon corps est éternel ! Mon propre corps ressuscitera, ce corps même qui fait corps avec mon âme ! Ce corps actuellement soumis à tous les conditionnements d'espace et de temps, de souffrances et de vieillissement, il sera à son tour, à son heure, glorifié par l'Esprit, corps spirituel gardant les cicatrices de son passage sur terre (Ph. 3, 21 - 1 Co 15, 44). Quelle valeur infinie cela ne donne-t-il pas à mon corps ?

L'âme et le corps que je suis ne pourront connaître le bonheur qu'ensemble, à jamais. Mon corps est tellement unique qu'il est destiné à rejoindre mon âme. Après l'au-revoir pour un temps, qu'entraîne la mort. Séparation provisoire quoique déchirante, après tant d'années de route ensemble !

Cette seule perspective opère une véritable révolution dans mon attitude vis-à-vis de mon corps. Comment ne pas le traiter autrement quand nous sommes embarqués l'un et l'autre, dans une aventure, et pour le temps et pour l'éternité ?

« *La résurrection des morts* » ! Cette réalité on ne la clame pas assez. C'est absolument décisif : ce qui donne source et finalité à ma sexualité. Que ce corps soit éternel, alors que seul l'amour est éternel, cela prouve par A + B, par A + C - Amour et Corps - que seul l'Amour avec un grand A est à la hauteur du corps, correspondant au corps. L'Amour est par excellence ce qui ne peut pas mourir en moi. C'est clair. Et *tout ce que je fais dans l'amour, je le retrouverai pour toujours*.

Maintenant, je le sais : au-delà de l'opération chirurgicale de la mort - séparation violente de l'âme et du corps - je vais retrouver mes mains, mon visage, mes yeux, ma chair, mais transfigurés, ressuscités. Vraiment ces mains, ce visage, ces yeux qui auront été l'expression de mon amour tout au long de ma vie. Dis-moi, y a-t-il rien d'aussi super-génial ?

Et la preuve, c'est qui ? C'est *Marie* ! Que cela soit arrivé à Jésus, c'est normal, Il est Créateur. Mais Elle ! Ma sœur, une femme de chez nous. Elle n'est pas créatrice ! Elle n'est pas la Vie ! Voici qu'elle est déjà glorifiée en son corps ! Elle « incarne » — donne chair — à notre espérance. Elle anticipe cette résurrection des morts que tu proclames à chaque Credo. Vérité d'actualité plus que tout autre. Tant d'hommes croient dans la *satisfaction de la chair*, mais nient la « *résurrection de la chair* ».

La transmission de la vie à travers la sexualité est comme une confirmation par les faits de cette vie qui jamais ne finira. Parce que je ne transmets pas la vie pour la mort. Je ne vais pas procréer un enfant pour qu'il meure, pour qu'il ne vive que quelques mois, quelques années, 90-100 ans maximum ! Je ne lui donne pas la vie pour ça ! Il est fait pour vivre toujours, toujours, toujours !

Donner la vie à un enfant, c'est lui dire : « *Tu ne pourras pas mourir* ». Parce que dire à quelqu'un : « *Je t'aime* », c'est lui dire : « *Tu ne mourras pas !* » Comment puis-je lui dire : je t'aime ! si en même temps je lui dis : tu vas mourir !

L'amour est éternel, le *corps* est éternel. C'est pourquoi les corps ne peuvent s'unir que dans l'amour. Seul l'amour est à la hauteur du corps [10].

_____

10. C'est pour le manifester qu'il arrive parfois que les corps de certains saints demeurent intacts : le corps de Bernadette, de Chabrel Makhlouf au Liban, du Curé d'Ars... et de tant d'autres. Le Seigneur ne le fait pas pour tout le monde parce que nous sommes encore dans l'ordre des signes. Mais Il donne quelques signes clairs et nets, scientifiquement contrôlables. (Comme, dans un autre ordre, le Saint Suaire !)

ENSEMENCÉ PAR LA VIE !

Or c'est par l'Eucharistie que je reçois dans mon corps la semence de ma gloire. Et c'est une impossibilité d'ordre biologique qu'un corps qui a reçu le Corps ressuscité de Dieu puisse mourir à jamais. Ce n'est pas mystiquement, métaphysiquement impossible. Mais physiquement impossible !

Et une des preuves - parce que Dieu donne des petites preuves discrètes de temps en temps - c'est qu'il y ait des personnes qui puissent vivre toute une vie en étant nourries uniquement par le Corps de Jésus. Comme une Marthe Robin. (Et il y en a d'autres dans le monde actuellement.) C'est une chose qui a été médicalement constatée : quarante années durant, elle n'a pas vécu d'autre chose. Et c'est normal !

Surtout, il y a régulièrement des guérisons physiques opérées par le Corps du Seigneur dans l'Eucharistie, et pas seulement dans les lieux de pélerinage. Mais là où une communauté chrétienne fervente vient, en toute simplicité présenter ses malades au Seigneur, comme on le faisait dans les villages de Palestine, de son temps. N'est-il donc pas tout autant de notre temps ? Et son Cœur aurait-il changé ? Et n'est-ce pas bien normal s'il est effectivement la Vie en personne ?

A un cadavre, il dit : « Lève-toi et marche ! » Le jeune garçon se lève et se met à gambader. A une fille de 12 ans, « Réveille-toi ! » Elle ouvre les yeux, Il la prend dans ses bras. Il la dépose dans les bras de sa maman sidérée. A son ami, il crie : « Dehors ! » et Lazare frémit de tout son être. Tout cela, pas hier seulement. Aujourd'hui encore : il y a quatre ans, à Bruxelles, une femme arrachée à un coma irréversible, devant qui tous les pontes de la médecine calaient. Et par qui ? Par Jésus lui-même en son Corps. Les témoins directs, médecins et infirmières, croyants ou non peuvent l'attester. Des cas comme cela, c'est très rare, mais c'est parfois donné pour montrer à quel point notre corps touche Dieu, de tout, tout près. Et qu'il n'est pas seulement venu sauver le cœur et l'âme de l'homme, mais son être tout entier [11].

Telle est la pente douce de notre transfiguration. L'Esprit-Saint prépare ton corps même à recevoir ton corps de gloire. Tu seras semblable à Dieu. *Tu le verras tel qu'il est*, parce qu'*il t'aura aimé tel que tu es*. Tu auras accepté, tout au long d'une vie, de l'aimer tel qu'il est, avec son humilité, sa pauvreté, dans cette Eucharistie où, en Marie, il a pris ton corps. Cette Eucharistie où il te rend ton corps déjà glorifié !

Ton corps fait pour l'Amour. Son Amour.

Un Amour pour la Vie, Sa VIE !

---

11. Pour creuser un peu plus encore ceci. La sexualité est une fuite en avant, devant la mort inéluctable : à tout prix survivre dans un autre moi ! Jouissance indéfiniment renouvelée, elle est mirage d'infini, mime d'éternité. Or précisément, l'Eucharistie me donne ma sur-vie : ma vie au-delà de la mort, et déjà la propre éternité de mon corps. Ainsi la Chair et le Sang de Dieu me délivrent peu à peu de la pesanteur de la chair et du sang.

IV

LA PAROLE AUX TÉMOINS

I

S'ACCORDER POUR LA VIE

Poser les bases d'un amour resplendissant de lumière

« Il y a déjà six mois, j'ai rencontré un garçon que j'aime « à la folie ». Nous nous entendons à merveille et quand nous sommes tous les deux, j'ai l'impression d'avoir un corps qui dit JOIE et un cœur qui dit PAIX. C'est génial de s'aimer autant. (Surtout quand c'est la première expérience de l'amour humain.)

Tout le temps nous parlons d'avenir et de projets supers, mais souvent nous parlons plus profondément de la foi et de la sexualité. C'est très dur parce que nous n'avons pas la même conception de l'amour. Il est convaincu que l'amour est quelque chose de trop beau pour jouer avec, il ne veut le faire qu'avec une seule personne dans sa vie, mais il ne voit pas pourquoi attendre le mariage. Nous avons beaucoup discuté, j'ai résisté pendant quatre mois. Mais cet amour humain me faisait oublier l'amour de Dieu, je ne priais plus ! Et un soir, nous avons fait la bêtise !... J'ai souffert en acceptant, mais je pensais que c'était le plus beau cadeau que je pouvais lui faire avant de le quitter pendant trois mois !

Mais dès le lendemain, je me suis sentie vidée! Déçue par moi-même! Cette expérience m'a fait réagir vivement!

Pendant cette nuit-là, j'ai pris conscience qu'une relation sexuelle c'est trop démentiel pour être fait sans réfléchir. On met en relation tout ce que l'on a de plus intime, notre cœur tout entier. On donne, on offre TOUT à l'autre (bien plus que son corps).

J'ai compris alors que les exigences de l'Eglise n'étaient pas purement morales, difficiles à vivre, mais vraiment la possibilité de construire, de poser les bases petit à petit d'un amour infini et extraordinaire, resplendissant de lumière!!! Quelques jours après (je ne sais pas par «quelles opérations du Saint-Esprit»), je me suis retrouvée à une retraite pour jeunes (…)

(…)Devant le prêtre, j'ai beaucoup pleuré et le prêtre m'a dit que je retrouvais par le sacrement ma virginité!!! J'étais éblouie, je n'en croyais pas ni mes yeux, ni mes oreilles, ni mon corps, ni mon cœur. Dieu est donc tellement plein d'amour pour nous qu'Il nous PARDONNE même les pires des péchés (…)

(…)J'ai prié une bonne demi-heure tous les jours pour Henri, pour que son cœur soit prêt à recevoir mes paroles, ma décision ferme de vivre l'amour dans le bon sens, et pas en commençant par le sommet (ce qui éteint vite les flammes de l'amour).

Nous avons parlé pendant trois heures. Au début, il était très surpris et même déçu parce qu'il croyait que si je l'avais fait une fois, c'est que je lui faisais confiance et que maintenant la question ne se posait plus: j'accepterais à chaque fois!

Je lui ai expliqué ce que je pensais être l'Amour (le vrai, celui qui fait croître l'amour qui naît), la façon de le vivre, la beauté de la tendresse, quand on sait attendre…

Le soir, il m'a dit : « Tout ce que tu m'as dit, c'est génial, maintenant, j'ai des raisons valables d'attendre. Ce sera souvent dur (physiquement), mais je veux attendre et j'essaierai de trouver la volonté suffisante pour vivre dans cette patience constructive ! »

Alexandra, 20 ans

On veut rester purs !

Antoine : Nous avons tous les deux 23 ans et nous sommes fiancés depuis presque cinq ans. Cinq ans, il paraît que ça fait long, que ça fait original. En réalité, notre rencontre purement humaine s'est un petit peu superposée avec la rencontre de Dieu. On s'est retrouvé dans la même classe en terminale, et on est devenus amis tout simplement. Mais en fait, derrière l'amitié, bien souvent, l'Esprit-Saint est derrière. Et à la fin de l'année, lorsqu'on a dû se quitter pour des raisons universitaires, on a compris que l'on éprouvait un sentiment beaucoup plus fort que l'amitié. Ainsi, on s'est revu le plus souvent possible. Et on s'est posé beaucoup de questions… « Pourquoi rester ensemble, pour attendre quoi ?… Pourquoi ne pas vivre ensemble ?… Pourquoi ne pas rompre ?… » Finalement, on a décidé de ne plus se voir.

Isabelle : C'était moi qui voulais quitter Antoine. Il avait 18 ans, et tout le monde me disait : « Mais un garçon de 18 ans qui rencontre sa première fille, ce n'est pas possible, t'es complètement folle, il faut qu'il mène sa vie de garçon, il faut qu'il… et après, dans trois ans, quand il aura bien fait la fête, là ça ira peut-être. » Je me disais : « C'est sûr, nous les filles, à 17 ans surtout, on rêve du garçon qui a vécu sa vie, vraiment l'homme, et finalement on se désintéresse de garçons vraiment tout mignons et tout purs. » Finalement, nous nous sommes fiancés. Pour nous le problème s'est posé très vite de savoir s'il fallait faire vraiment un mariage chrétien... s'engager pour toute la vie pour un amour vrai, avec Dieu. Et pour cela, il fallait prendre cette décision : oui ou non, va-t-on rester purs, va-t-on rester de vrais fiancés ? Ou va-t-on vivre ensemble ? On savait qu'il ne fallait pas le faire, mais on a tellement d'amis qui le font, et on est dans un monde où la virginité, ça ne veut plus dire grand chose. On s'est dit : « On va rester purs. » On ne savait pas très bien pourquoi. On a pris cette décision de vivre véritablement notre amour à travers Dieu, et pour tout vous avouer, ça n'a pas été toujours facile. Quand Dieu se mêle des affaires, Il nous aide terriblement, mais aussi, Il nous demande énormément, mais en fait on reçoit beaucoup.

Ce qu'on veut surtout communiquer, c'est que la pureté mène à Dieu. Et je crois que dans tous les milieux, même ceux où on a reçu une éducation, disons, catholique, il ne reste plus grand chose, on vit comme des bêtes, on se rencontre, on croit s'aimer, et après *on est des épaves, on ne sait plus où on est, qui on est*. On a trop d'amis qui se détruisent littéralement.

Pour nous, ce qui a été la plus grande grâce de nos fiançailles, c'est cette pureté. On y a vraiment rencontré Dieu.

Antoine et Isabelle, 23 ans

Lui offrir ma virginité : le plus beau des trésors

Denis : Dès mon adolescence, j'ai beaucoup souffert à cause de ma taille, souffert d'être rejeté à cause de mon retard dans la puberté, souffert de ne pouvoir accéder à ce mystère de l'amour !

Une souffrance qui m'a évité, et j'en suis sûr aujourd'hui, de brûler les étapes de l'amour. Au contraire, dans cette attente, cette solitude, j'ai appris à désirer un amour vrai et unique. Mais dès ma première rencontre, tout est tombé : je n'avais qu'un seul désir : celui de posséder l'autre, de l'aimer pour mon plaisir, accéder rapidement à ce qui m'était resté inaccessible et pouvoir prouver à mes copains que je n'étais plus un minable car je n'avais pas encore « couché » avec une fille !

Oui, j'étais un pauvre type car je ne savais pas faire... j'ai longtemps essayé tout seul de me procurer ce plaisir en provoquant mon corps... je me suis souillé et j'ai gaspillé le mystère de la vie qui a été déposé en moi... J'en avais marre de cette situation et voulais aller au bout. Mais elle ne voulait pas. Je la remercie maintenant. Je sais aussi qu'au fond de moi quelque chose m'en empêchait...

Un jour, tout a cassé, elle m'a quitté... Je me suis retrouvé seul... les mains vides, sans rien, ni personne. Seul mon ami fidèle qui a toujours été avec moi et que j'ai vraiment choisi de ne plus lâcher ce jour-là... Jésus...

Tout a recommencé : *Il m'a recréé dans son amour.* Par sa croix, Il a lavé tout mon péché, m'a renouvelé jusque dans mon corps, et puis, surtout, m'a enseigné le chemin de l'amour véritable, Son Amour...

Aujourd'hui, je ne suis pas devenu prêtre ou moine,

mais je vis le mystère de l'amour avec celle qu'il m'a donnée. Je l'ai rencontrée quatre ans après mon échec sentimental. Quatre années d'attente, d'accueil, d'espérance, de guérison de mon affectivité. Je l'ai vue, mon cœur a fait « boum, boum » (vous connaissez sûrement !).

Au lieu de me précipiter, j'ai attendu : cette patience a été douloureuse, mais je n'ai plus saisi ou pris celle qui m'attendait, je l'ai reçue comme un cadeau, un *cadeau que j'ai voulu découvrir lentement,* pour ne pas m'en blaser, mais l'apprécier à sa juste valeur.

Le plus beau cadeau que j'ai pu lui faire le jour de notre mariage est *ma virginité.* Non, ce n'est pas une tare, mais *un trésor plus précieux* que toute la vitrine luxurieuse de ce monde !

Marie : Née dans une famille chrétienne, pratiquante, j'ai toujours reçu une éducation chrétienne, donc aussi dans le domaine de la vie affective.

Très tôt, j'ai eu la grâce de comprendre que jouer avec l'amour n'était pas bon pour moi et pour ma capacité d'aimer, et j'ai désirer *me garder pour celui qui serait mon époux.*

Ce temps où je me gardais pour mon époux m'a permis de mûrir en moi ce désir de me donner toute entière, et petit à petit, je comprenais que si j'avais accepté le « flirt », j'aurais brûlé mon cœur et il n'aurait plus été capable d'aimer totalement en plénitude.

En même temps un combat se livrait en moi : j'avais rencontré l'amour du Seigneur pour moi et je voulais Lui donner toute ma vie... et je voulais me marier... ! Aujourd'hui, je peux dire que je vis les deux états : en vivant ce pour quoi Dieu m'a créée, le mariage, je suis toute à Lui, puisqu'Il est au cœur de chacun de nous.

Me garder pour celui qui serait mon époux n'a pas toujours été simple, ni facile (comme tout le monde, j'avais envie de donner ma tendresse, j'avais besoin d'en recevoir d'autre que celle de mes parents), mais la joie de savoir que ce que je lui donnerais, personne auparavant ne l'aurait reçu, et la certitude que le Seigneur m'accompagnait sur ce chemin me remplissaient de force. Je préparais mon cœur à ce don total en priant chaque jour pour celui que je recevrais un jour pour époux.

... Jusqu'au jour de la rencontre... C'est pour lui, Seigneur, que tu me préparais depuis toujours... Joie de la reconnaissance et long chemin d'apprivoisement.

C'est alors que commence tout un apprentissage de l'amour vrai... les fiançailles, celui qui est don, oubli de soi, qui met sa joie dans la vérité (1 Co 13, 6)... Car aimer, ce n'est pas rechercher son propre bonheur, mais d'abord celui de l'autre, d'où découle le mien.

Tout un apprentissage de ce qu'est l'autre, de qui il est... c'est long, parfois difficile... et nous l'avons parfois vécu dans les larmes... *douleurs d'un accouchement,* d'une personnalité qui se révèle telle qu'elle est, avec sa beauté mais aussi avec toutes ses faiblesses...! Mourir à soi-même pour l'autre est douloureux, mais qui sème dans les larmes, moissonne dans la joie!

Nous nous sommes reconnus faits l'un pour l'autre, à partir de là, pourquoi attendre plus longtemps? Pourquoi ne pas avoir de relations sexuelles tout de suite? Et pourtant ce choix nous l'avons fait. Pour apprendre à nous connaître, à *nous livrer d'abord par le cœur,* pour pouvoir ensuite nous donner l'un à l'autre sous le regard et la bénédiction de Dieu, dans le mariage.

C'est un chemin aride et parfois la tentation est grande d'aller «jusqu'au bout»... Mais nous sentions que si nous brûlions les étapes, c'était *court-circuiter notre amour* et l'empêcher ensuite de continuer à grandir et à s'épanouir. Le don total implique non seulement le don des corps mais aussi, indissociablement, le don des cœurs, des esprits, des âmes. Comment réaliser ce don si je ne connais pas l'autre dans ce qu'il est ? Comment dire oui justement à ce qu'il est si je ne sais à quoi je m'engage ?

Si nous avions brûlé cette étape, nous n'aurions jamais pu aller aussi loin dans le partage de nos personnes dans le dialogue.

Petit à petit, en entrant plus avant dans l'intimité de l'autre, nous avons appris à nous laisser regarder... Regarder dans tout ce qui est beau en nous mais aussi et surtout, dans toutes nos faiblesses, notre péché. Ce n'est pas facile de se laisser voir par l'autre dans toute sa misère, quand on voudrait *n'être que beauté pour lui*. Mais ce regard, qui est un regard d'amour, est guérison (pour toutes ces blessures cachées de mon cœur). Je suis aimé(e) jusque dans mes faiblesses, là où même moi je n'arrive pas à m'aimer... donc réellement pour moi, et pas pour telle ou telle qualité (ou mon physique). Si ce regard est guérison, c'est parce qu'il est d'abord pardon.

Dans cette relation d'échange, nous avons beaucoup vécu des «3P» : Prière, Partage, Pardon. C'était un peu notre ligne de vie. La prière, parce que tous deux amoureux de Dieu, nous ne pouvions pas concevoir notre amour sans Celui qui en est l'auteur. C'est en Lui que nous puisions l'amour que nous pouvions nous donner.

Le partage, parce que c'est la condition nécessaire pour apprendre à se connaître.

Le pardon… qui ne s'est jamais disputé avec son bien-aimé ? Qui ne lui a jamais fait mal ? Si nous restons sur l'amertume, la tristesse que cela engendre, nous nous exposons à la rancune et à la vengeance… Aimer, ce n'est pas se venger, mais c'est pardonner… pour repartir à zéro et recommencer, en étant conscient de ses faiblesses et de celles de l'autre.

Tout cet apprentissage de l'amour, nous l'avons vécu avec *des temps d'alternance,* souvent nous restions un mois sans pouvoir nous voir… ce n'était pas facile, mais cela permettait de pouvoir « relire » ce qui avait été vécu la dernière fois et surtout de pouvoir adoucir un reproche à faire ou en digérer un reçu. C'est important d'avoir ce temps d'alternance. On prend du recul, et on se rend compte que finalement ce n'est pas tout à fait faux et que moi aussi j'ai à changer.

Mais aux retrouvailles, il fallait aussi un temps d'« a-justement ». C'est-à-dire que devant le Seigneur nous nous retrouvions en Lui, pour qu'Il nous remette sur la même longueur d'onde (la Sienne !).

Par le pardon souvent demandé et donné, nous avons vu notre amour grandir et se fortifier, se creuser, comme si nous posions les fondations d'une maison. Nous avons grandi l'un par rapport à l'autre et devant notre Dieu, jusqu'à pouvoir prendre la décision de nous engager définitivement, dans la durée et la fidélité par le sacrement de mariage.

Certains trouvent que c'est un enchaînement, pour nous, *c'est une liberté.* Appelés à être icône de la Trinité… Heureusement que nous avons toute une vie pour tenter d'y arriver… C'est tellement beau et grand que nous ne regrettons pas les petits sacrifices des fiançailles. *Nous nous sommes attendus,* et le jour des noces, nous ne nous sommes pas pris, mais *reçus, accueillis, comme le plus merveilleux des cadeaux de la main de Dieu !*

Denis et Marie

Cette attente nous a donné une immense confiance

Noëlle : Dès que j'ai vu Eric pour la première fois, j'étais sûre que c'était lui. Pourtant je ne savais rien de lui. Je ne savais pas qui il était ni ce qu'il faisait, mais j'avais la conviction que c'était Dieu qui me le donnait. Moi qui avais toujours pensé me faire bonne sœur, je ne m'attendais vraiment pas à ça !

Eric : Pour moi, ça a été bien différent ! La première fois que j'ai rencontré Noëlle, c'est à peine si je l'ai remarquée. Je la trouvais sympa, c'est tout. Elle était étudiante, et moi, je finissais mon service militaire. Les grandes vacances arrivées, nous nous sommes perdus de vue. Je me préparais à partir travailler en Afrique sur un projet de développement agricole. Mais plus la date de mon départ approchait, plus j'étais gêné par un sentiment qui s'imposait à moi : j'étais de plus en plus convaincu que nous devions unir nos vies. mais je n'y comprenais rien : j'avais déjà eu des expériences amoureuses dans le passé et à chaque fois, j'étais très attiré par la beauté physique des filles. Mais avec Noëlle, rien de tout cela ! Pour moi, la femme de mes rêves était plutôt blonde aux yeux bleus... Noëlle est franchement brune aux yeux marrons, et elle porte des lunettes par-dessus le marché ! Vraiment je n'y comprenais plus rien, et pourtant, je brûlais d'impatience de lui révéler ma flamme.

C'était délicat, car je ne connaissais pas ses sentiments et elle se gardait bien de me les montrer. Je me suis tout de même décidé, la veille de prendre l'avion pour l'Afrique. C'est ainsi que nous nous sommes séparés, sûrs que notre amour était réciproque. Avec du recul, nous nous apercevons que cette année de séparation n'a fait que renforcer notre amour.

Noëlle : Lorsqu'Eric est revenu en France, nous étions sûrs que nous étions bien faits l'un pour l'autre. Et pourtant, nous avons tenu à attendre encore une année avant de nous marier. Nous voulions vivre un temps de fiançailles comme l'Eglise nous le propose. Nous l'avons choisi en toute liberté car nos familles ne sont pas particulièrement croyantes.

Eric : Vivre un temps de fiançailles, c'est apprendre à se connaître en profondeur, mais sans avoir de relations sexuelles. Ce n'est pas que la sexualité soit mauvaise ; au contraire, elle est tellement belle que nous avons voulu nous préparer afin de nous donner tout entier l'un à l'autre le jour du mariage ! Et pour nous, cela n'a pas été frustrant de ne pas unir nos corps. Au contraire, cette attente nous a permis d'exprimer autrement notre tendresse.

Noëlle : Cette attente nous a donné une immense confiance l'un dans l'autre. Nous savons que dans l'avenir, nous aurons la force de rester fidèles à notre amour. Et aujourd'hui, je sais qu'Eric m'aime pour tout ce que je suis, et pas uniquement pour mon corps.

Eric : Grâce à cette attente, nous avons également appris à nous parler et à nous écouter. Et pour moi, le plus difficile a été de parler à Noëlle des expériences douloureuses de mon adolescence, et tout particulièrement en ce qui concerne ma sexualité. Je sentais que j'avais gâché un trésor et j'avais peur de lui faire de la peine en lui parlant. Mais après, quel soulagement de ne plus rien avoir à lui cacher !

Noëlle : Notre désir d'être vrais l'un devant l'autre nous a poussés également à regarder en face nos comportements dans la vie de tous les jours. Je me suis aperçue ainsi, que je ne supportais pas certaines manies d'Eric, comme par exemple celle de « piocher » dans le pot de confiture avec sa propre cuillère ! Ma première réaction a été de me taire et de ruminer toute seule dans mon coin. Si j'avais gardé cela pour moi, mon énervement se serait transformé petit à petit en agressivité, et un « beau » jour je lui aurais craché mon venin au visage. Mais après en avoir parlé ensemble, il a pu essayer de s'améliorer et surtout j'ai pu lui demander pardon pour mes colères. Et nous avons remarqué que chaque fois que nous nous mettions à genoux l'un devant l'autre pour nous demander pardon, notre amour grandissait. En fait, c'est une chance de voir les défauts de l'autre : cela nous permet de l'aimer tel qu'il est, et non comme on voudrait qu'il soit.

Eric : Mais nous savons que si nous avons pu vivre ces exigences de vérité et de pardon, c'est parce que nous en avons reçu la force dans la prière. C'est en apprenant à nous tourner ensemble vers Jésus que nous avons appris à nous aimer, car c'est Lui la source de notre amour.

Noëlle et Eric, 23 et 25 ans

Libérés par la pureté de Marie

Depuis plusieurs années, nous avions mis l'Eglise de côté, nous n'allions plus aux sacrements.

Quand j'ai rencontré Jacques, il était marié depuis un an et demi et venait juste de divorcer. Nous avons commencé à cheminer au sein du groupe «La Louange». Jacques jouait de la guitare et moi, je chantais un peu. Nous nous trouvions donc en mesure de grandir dans la foi. A ce moment-là, nous avons décidé de vivre ensemble.

Puis avec les années, je me suis rendu compte que quelque chose n'allait pas. Je demandais souvent à Jacques : «Est-ce que tu te sens bien, toi, quand tu vas à la messe, et quand tu pries, tout en vivant avec moi sans que nous soyons mariés ? » Jacques répondait toujours : «Le Seigneur est bon. Pourquoi se marier ? Ne te crée pas de problème avec cela ! »

Mais pour moi, plus ça allait, plus notre situation me faisait mal. Je sentais une déchirure car j'étais prise entre le Seigneur et Jacques. J'aimais Jacques et ne voulais pas le quitter. D'autre part, j'aimais le Seigneur de plus en plus et ne voulais pas le laisser tomber. Je sentais donc le combat en moi ainsi qu'un grand malaise. Cela a duré quelques années.

Un jour, j'ai été à une retraite avec Jacques. Nous sommes allés voir le prêtre car nous avions besoin d'une lumière. (Il faut dire aussi que lorsque Jacques a demandé son divorce, il a aussi demandé l'annulation de son mariage. Mais nous trouvions que c'était long d'attendre, au point de se demander s'il l'aurait enfin un jour ou l'autre.)

Le prêtre a compris ce que nous vivions : « C'est une situation assez délicate, mais je vais vous dire quelque chose et je vous demande de l'accueillir comme venant de Jésus, et non pas de moi, prêtre : ce que vous faites n'est pas bien. Vous devriez vivre comme frère et sœur chez vous. C'est bien Jésus qui vous dit cela. Humainement, c'est impossible de faire cela parce que l'homme est trop faible par lui-même. Mais si vous demandez au Seigneur la grâce d'y arriver, Il vous aidera. »

Nous sommes sortis de là un peu découragés ; nous ne nous attendions pas à ce genre de réponse. Nous avons donc décidé de prier pour cela. A cette époque, nous commencions à avoir davantage de foi. Aussi avons-nous remis tout cela entre les mains du Seigneur.

Deux mois plus tard, une autre retraite sur l'Eucharistie. De retour chez nous, nous avons fait une prière ensemble, puis Jacques s'est endormi. Moi, j'ai continué à prier le Seigneur et senti que même si j'avais beaucoup aimé le week-end, je ne l'avais pas pleinement vécu. Il me manquait quelque chose pour que ma retraite soit vraiment belle. Or en priant, je revoyais dans ma tête toute la file de personnes qui avait été au sacrement du Pardon. Cela m'impressionnait car, évidemment, il y avait très longtemps que je n'y avais été, dix ou douze ans. Il faut dire que chez nous au Québec, ce sacrement a été mis un peu de côté. Et moi, je disais dans mon cœur au Seigneur : « Mais quand pourrais-je enfin aller au sacrement du Pardon ? » En même temps, je me sentais plus mal à l'aise que jamais face à ce sacrement étant donnée la situation que je vivais avec Jacques. C'est à ce moment-là que le Seigneur a mis une parole dans mon cœur : « Suzanne et Jacques, *faites un vœu de chasteté* dans le but d'augmenter votre foi. Faites cela jusqu'à l'annulation du mariage de Jacques. » Ces paroles dans mon cœur étaient si claires que je ne pouvais douter qu'elles venaient de Dieu. Maintenant, parler de ce message à Jacques, c'était une autre histoire. Je sentais que je devais lui en parler. Alors j'ai réveillé Jacques et lui ai tout raconté. Il m'a dit : « Il y a des « spécialistes » que je pourrais te conseiller d'aller voir. Es-tu sûre que ce que tu dis vient du Seigneur ? » Je lui ai répondu que par moi-même je n'aurais jamais pensé à faire un vœu de chasteté. Jacques, un peu sceptique, dit : « Pour être plus certain, nous devrions écouter notre cœur et demander au Seigneur un signe encore plus fort, plus grand. Si c'est vraiment Dieu qui t'a inspiré ces paroles, Il nous répondra bien. » D'accord, nous nous sommes mis en prière. Après à peine une minute de recueillement, Jacques dit : « C'est drôle, il me vient un chant en tête, un chant à Marie. » Je lui dis que justement j'étais en train de prier Marie, et nous nous sommes mis à le chanter :

« Vierge Marie, tu as dit Oui, merci
Tu as su t'ouvrir à la Vie, Marie
Vierge Marie, tu as dit Oui, merci
Tu accueilles le Saint-Esprit, Marie. »

A partir de ces paroles, nous avons vraiment compris que le Seigneur avait mis quelque chose de beau dans notre cœur. Une lumière a commencé à se faire. Puis nous avons continué avec le premier couplet : « Tu as conçu, Marie, un enfant du nom d'Emmanuel. »

Soudainement, en même temps, nous nous sommes arrêtés, incapables de continuer. Une lumière extraordinaire s'est alors faite en nous, comme une effusion. Le Seigneur nous a dit à tous deux en même temps que Maman Marie était chaste, pure, vierge lorsqu'elle a eu Jésus. Il nous a fait comprendre que nous étions en état de péché et qu'Il venait nous délivrer, nous libérer. Alors nous avons vu la noirceur de notre péché et cela nous a fait mal. Mais Jésus étant notre libérateur et même si je pleurais beaucoup sur notre faute, je me sentais aussi joyeuse car la libération en nous s'opérait.

Mais Jacques vivait tout cela différemment de moi.

Jacques : Cette nuit-là, la Vierge Marie est venue nous rencontrer avec force dans notre chambre. J'entendais Suzanne crier très fort, mais je ne pouvais pas lui demander ce qui n'allait pas car moi-même, j'étais comme paralysé dans mon lit. Je ne pouvais pas parler. Je respirais très fort. Alors Suzanne est venue me masser le dos. J'étais trempé. Cloué ainsi à mon lit, je sentais dans mon cœur que je devais faire un acte de foi. Sceptique de nature, j'ai commencé à dire plusieurs fois dans mon cœur : « Oui, je crois très fort que la Vierge Marie était chaste et pure et que nous sommes en situation de péché. » A ce moment-là, nous avons été libérés, Suzanne et moi. Ce même soir, nous avons eu plusieurs démarches de pardon qui ont duré une bonne partie de la nuit.

Suzanne : Non seulement, Il nous a libérés de notre péché, mais Il a aussi établi entre nous un respect comme entre frère et sœur. *Ce respect s'est créé ce même soir :* nous nous sommes couchés ensemble sans nous toucher ; *nous étions frère et sœur.*

Puis nous avons passé un petit séjour dans une communauté. Nous avons fait une promesse de chasteté, que nous avons vécue pendant deux ans. Durant ces deux années, nous avons eu besoin de beaucoup de soutien afin de vraiment vivre la chasteté : nous avons été à la messe tous les jours, nous avons prié, nous avons eu aussi le soutien des membres de nos familles et la prière continuelle de beaucoup de personnes. C'est vraiment avec la prière que nous avons pu tenir parce que tout seuls, c'était impossible.

Jacques : Quatre ans après ma demande d'annulation de mariage, je recevais un coup de téléphone de l'évéché de Montréal qui m'accordait mon annulation afin que je puisse me remarier. Nous nous sommes mariés le 18 février 1984.

Suzanne et Jacques

Se recevoir l'un l'autre pour s'ajuster l'un à l'autre

Voilà déjà plusieurs mois que nous sommes fiancés. *Nous nous sommes reçus l'un l'autre du Seigneur*, et nous lui rendons grâce car nous sommes comblés au-delà de nos espérances.

Pour en arriver là, il nous a fallu poser un acte ; celui de la confiance totale en Dieu, sûrs qu'Il veut notre bonheur. Nous avions donc accepté, à Son appel, de tout quitter — famille, maison, travail... — pour donner un an de notre vie entièrement au service de Dieu et de l'Eglise, dans le cadre de l'école «Jeunesse Lumière.» C'est là que nos chemins se sont croisés. *Pendant un an, nous avons vécu l'un à côté de l'autre comme frère et sœur*, au service du Seigneur, avec une trentaine d'autres jeunes. Sans se révéler ce que l'on portait l'un pour l'autre, nous avons pu nous découvrir grâce à une vie de prière, de formation, de partage fraternel des tâches quotidiennes et d'apostolat. Ainsi a pu se tisser entre nous une amitié plus profonde, d'ordre spirituel donc sans convoitise. A la fin de cette année, nous nous sommes interrogés sur la possibilité d'un éventuel avenir ensemble. Deux mois plus tard, après s'être écrits régulièrement, nous nous sommes revus et, au cours d'un temps de prière, devant Dieu et aux pieds de Marie, nous nous sommes dit oui. Ce n'était pas encore le «oui» sacramentel du mariage, mais un «oui» pour entreprendre avec détermination un cheminement ensemble en vue du mariage. Ce «oui,» nous l'avons redit oficiellement et publiquement devant l'Eglise et nos familles, lors de la messe de fiançailles.

Pour résumer, et ce n'est pas facile, la manière dont nous vivons ce temps d'enracinement et d'épanouissement de notre amour qu'est le temps des fiançailles, distinguons trois domaines : spirituel, passionnel et relationnel.

1. *Sur le plan spirituel*, partant de ce qui a été établi entre nous durant l'année à Jeunesse-Lumière, nous avons pu très naturellement continuer à prier ensemble à chaque rencontre. Durant les temps de séparation, nous récitons chacun de notre côté une dizaine de chapelet tous les jours en communion avec l'autre, et nous parlons de tout ce qui est vécu entre nous avec notre accompagnateur spirituel : quelle grâce de pouvoir ainsi être soutenus et guidés par Dieu et par l'expèrience d'un «frère aîné dans la foi ! »

2. Petit à petit est né en nous une aspiration à se livrer d'avantage l'un à l'autre à travers le corps (nous ne nierons pas que notre amour a une forte *dimension passionnelle...*). Confiants dans l'engagement réciproque de ne pas aller jusqu'à l'union sexuelle avant d'être mûrs et «purifiés» par la grâce du sacrement de mariage, nous avons cependant découvert progressivement tout un

«langage du corps» pour signifier notre amour, à la manière «fiancés», et cela sans faire de mimétisme de ce que l'on pense que doivent faire des amoureux, mais en vivant chaque étape en son temps, au fur et à mesure qu'elle revêtait pour nous un sens et devenait «langage d'amour»: chaque étape est si belle, et si importante! Nous avons aussi senti qu'il nous fallait vivre une alternance entre les périodes où nous laissons libre cours à notre désir de «célèbration passionnelle» de notre amour, et d'autres où nous essayons de ne pas le faire, histoire de tester que nous sommes libres par rapport à cela, et de développer toutes les autres manières de montrer et de faire grandir notre amour: *l'amour rend inventif...*

3. C'est là qu'intervient tout *l'aspect «relationnel»* du temps de fiancailles: quand on aime, on souhaite se connaître mieux. Très vite, nous avons ressenti le désir de *partager à l'autre nos faiblesses et blessures les plus intimes*: moments parfois humiliants mais où l'on teste que l'on est aimé avec tout ce que l'on est, en vérité. Des heures durant, nous discutons, nous nous écoutons, abordant tous les domaines, évoquant le passé et surtout l'avenir, avec toutes ses contingences matérielles. Ce n'est pas toujouts évident d'engager une bonne conversation, alors nous employons des petits trucs du genre: dire à l'autre quelque chose que l'on n'a jamais partagé, ou se poser à tour de rôle une question. Avant chaque temps de partage, nous essayons de prendre un petit temps de prière. Nous avons aussi pris du temps pour connaître l'autre à travers sa famille, son lieu de vie et de travail, ses loisirs. Enfin, nous avons régulièrement pris du temps pour «relire» tout ce que l'on avait vécu, oralement ou par courrier, afin de livrer ses impressions,

d'éclaircir toute ambiguité, de rectifier le tir — nous avons senti parfois ne pas être dans la justesse — et aussi de nous pardonner...

Tout cela nous permet de *nous ajuster l'un à l'autre*. Comment finir ce témoignage sans évoquer Marie et Joseph, si concrètement présents dans tout ce qui nous a été donné de vivre. Comme l'année est ponctuée de fêtes mariales, notre cheminement est déjà parsemé de grâces mariales dont nous voyons clairement les fruits. Et ce n'est pas fini ! Notre mariage est prévu pour dans sept mois.

Elisabeth et Jean-Marc (27 et 26 ans)

Un champ trop tôt exploré

« Je me souviens très bien d'un couple venant dans ma chambre quand j'étais à la faculté. Ils avaient couché ensemble deux ou trois fois au cours des semaines précédentes — c'était la première fois pour tous les deux — et l'avaient vraiment regretté. Ils n'étaient pas chrétiens et la morale n'était absolument pas en cause. Ils avaient simplement compris que la sexualité n'est pas instantanée ; qu'il faut du temps à deux personnes pour élaborer leur langage d'amour personnel, pour découvrir comment se donner réciproquement le plus grand plaisir, et qu'ils avaient *exploré ce champ trop tôt*.

Je suis heureux que chaque fois que je fais l'amour à ma femme, je puis lui dire que je n'ai jamais fait l'amour à quelqu'un d'autre. Je lui ai donné mon corps et je lui appartiens. C'est quelque chose de très fort. Et lorsque des difficultés surviennent — elles peuvent survenir dans toute relation, bien qu'elles ne durent pas — j'ai alors infiniment plus de réticences à aller avec une autre femme que s'il s'agissait simplement pour moi de renouer avec d'anciennes habitudes de « coucheries. »

(cf. *Le Sida et les jeunes*, p. 97
Dr P. Dixon ; ed. Le Sarment Fayard, 1989)

II

TRANSMETTRE LA VIE

Porter une vie, avec la Mère de Dieu

A chaque fois que je porte en moi une petite vie, je la confie au Seigneur et à Marie, car je suis tout à fait dépassée par ce don et je ne sais comment manifester à mon bébé mon amour, puisque ni le geste, ni la parole ne sont possibles avant six mois. Mon amour doit donc être communion, communion de nos âmes par Jésus en qui nous ne sommes qu'un. C'est ainsi que j'avais demandé au Seigneur la grâce de *faire bouger en moi mon premier fils à la messe de Noël...* et Armel a donné ses deux premiers coups de pied lors de la proclamation de la Nativité et lorsque j'ai reçu le Corps de Jésus. Depuis j'ai souvent remarqué que les bébés réagissent à la descente de Jésus dans le sein maternel, qu'ils se manifestent particulièrement à ce moment précis. Je pense que toute maman un peu attentive peut le dire, mais je n'ai jamais partagé cela avec d'autres mères.

Leur reste-t-il plus tard une nostalgie de cette grâce par anticipation ? Comment l'affirmer ? C'est en tout cas très beau de voir comment certains petits enfants ont ce désir quasi-maternel de porter Jésus en eux, de le recevoir et de le bercer de leur prière. (Je me rappelle le témoignage de frère Ephraïm sur sa fille de quatre ans, qui ayant demandé à communier, se met à chantonner tout doucement «Jésus-Amour».)

Je me rappelle aussi Armel à 4 ans à qui je demande de prier avec moi pour une amie qu'un médecin avait conduite à l'avortement thérapeutique. Il interrompt notre chapelet pour me dire : *« Mais, Maman, tu sais, elle est bête, parce qu'elle a Jésus dans son cœur et le bébé il est dans son ventre, à côté de Jésus, alors Jésus peut le guérir, Lui. »*

Je suis persuadée qu'une maman enceinte qui prie, enseigne déjà la prière à son enfant. Au milieu des multiples bruits de l'extérieur, pourquoi ne pas choisir de réciter le chapelet, de chanter les psaumes ou d'écouter cette musique qui va droit à l'âme ? Dans mon sein, l'enfant a déjà son âme merveilleusement prête lorsque son petit corps n'est qu'ébauche…

Mais peut-être le mystère va-t-il encore plus loin ? Dans ma propre vie, la maternité s'est révélée sacramentelle comme si ces enfants que j'ai portés et que je porte étaient dispensateurs de grâces et confirmation du sacrement de mariage.

C'est à la fois très facile et très douloureux d'accueillir un premier enfant quand on se sent encore tellement petit. Armel me comblait et me révélait de nouvelles limites, il me révélait mon désir profond d'être protégée, voire maternée.

Alors que le mariage m'avait montré très vite que l'amour conjugal était incapable de protection hors de Dieu, voilà que l'enfant creusait ce vide en moi en me démontrant que j'étais *incapable d'être mère hors d'une relation filiale avec mon Dieu.*

Et je comprends maintenant que le Seigneur ne m'a pas abandonnée, mais qu'Il m'a donné une effusion de l'Esprit très discrète, très persévérante qui a peu à peu transfiguré ma vie et qui maintenant guérit pleinement notre couple. J'avais cru devoir grandir trop vite en me mariant à 20 ans et en ayant ce premier bébé à 21 ans alors que Thierry avait 22-23 ans... mais le Seigneur nous demandait seulement de redevenir enfants pleinement.

A la naissance d'Armel, j'ai reçu le désir de lire la Bible de A à Z, sans esprit critique, seulement pour inscrire cette parole dans ma chair et dans mon esprit que les études avaient formé à l'analyse et à la critique. Lorsque j'ai eu refermé la Bible, je ne sentais toujours pas Dieu comme mon Père, mais je Le savais Père fidèle et amoureux depuis toujours et pour toujours.

Puis Marie est entrée par la petite porte en me suggérant de prier chaque soir le chapelet en couple. Au bout d'une semaine, nous ne pouvions pas dormir sans être restés avec Marie, à prier.

L'Esprit est délicieusement *discret et maternel à travers Marie :* au bout de cinq mois de chapelets quotidiens (j'avais mis au monde un petit Louis-Marie, dont le nom s'était imposé à nous, un mois auparavant), nous avons reçu la grâce mariale. Moi qui ne vénérais jamais Marie et ne la priais que par obéissance à la voix intérieure, j'ai reçu Marie pour Mère dans une joie et une gratitude sans bornes, tellement évidentes que Thierry a reçu aussi cette présence dans sa vie, peut-être de façon moins bouleversante.

Depuis cet instant, notre foyer est guidé par Marie à

qui nous nous sommes consacrés aussitôt. Elle nous a conduits très vite à l'amour de Jésus, à la contemplation des mystères et très vite encore au désir d'une effusion de l'Esprit alors que nous ne connaissions pas le Renouveau. Ce désir a grandi en moi à partir de la Pentecôte, premier jour de l'Année Mariale et a été comblé trois mois après par une effusion de l'Esprit reçue dans le cadre du Renouveau où Marie nous avait conduits. A la lumière de l'Esprit, j'ai relu ces dernières années avec joie, joie de voir partout la présence agissante de notre Seigneur... et j'ai reçu un Père dans les Cieux, de toute bonté.

Notre couple a une seconde vie, *une vie dans l'Esprit qui le guérit peu à peu de toutes ses ratées,* et vraiment c'est ensemble que nous pouvons dire :

Loué soit le Seigneur Dieu, Père, Fils et Esprit !

Louée soit Marie, porte ouverte vers le Ciel !

Loués soient nos enfants qui m'ont permis de sentir ma pauvreté pour enfin accueillir le merveilleux don de l'amour de Dieu !

La vie de mère de famille est une vie de contemplative...

Laurence et Thierry, 26 et 28 ans
quatre enfants

Où le cœur de Dieu bat dans un cœur de chair

En franchissant le porche de la cathédrale, le jour de notre mariage, remplis d'espérance et d'ardeur juvénile, nous étions, mon fiancé et moi, au seuil d'une vie qui s'offrait pleine d'attraits. Nous nous présentions devant Dieu, totalement purs, gardés l'un pour l'autre, bien préparés sur le plan spirituel, grâce à des entretiens réguliers avec un prêtre ami.

Ensemble nous avions approfondi la splendeur du sacrement de mariage, état de consécration et de charité, au sens le plus profond et le plus haut de ce mot, ayant comme source et modèle l'union du Christ et de l'Eglise. En échangeant nos consentements, nous savions que nous nous donnions la grâce du Christ, sa force, sa joie, sa vie.

Mais ce n'est qu'au fil des années que nous pénétrerons dans le mystère de mort et de résurrection du sacrement de mariage. Il est le fruit de la croix, comme tous les sacrements, tirant toute sa vertu et sa puissance de la passion du Christ.

Le temps du combat

J'avais à peine vingt ans et j'arrivais au mariage sans aucune expérience de la vie ni des hommes. Enfance pieuse dans une famille chrétienne, couvent strict, adolescence nullement troublée par des problèmes sexuels. Le prêtre, dans notre préparation, avait insisté sur le mystère de la fécondité. Et nous désirions en effet élever chrétiennement une famille nombreuse.

Mais les enfants ne sont jamais venus. L'harmonie sexuelle, source d'épanouissement, nous ne l'avons guère connue. Les nombreuses contraintes imposées, pendant des années, par un traitement pour la stérilité de notre couple, les successions d'espoirs et de déceptions, empoisonnèrent nos relations conjugales qui s'espacèrent. Notre ménage devenait de plus en plus chaste, non pas une chasteté consentie, généreusement offerte pour avancer vers Dieu, mais une chasteté subie, source de déceptions et d'affrontements.

Et pourtant, parce que Dieu toujours nous conduit selon son projet pour nous, elle nous mènera un jour au plus parfait amour : celui du mariage spirituel de l'âme avec Dieu, but de toute vie de baptisés. Mais il nous faudra attendre bien des années de luttes et de tempêtes. Ce ne sont pas des grâces d'immunité que le Christ confère au sacrement de mariage, l'amour conjugal demeure toujours vulnérable, menacé, mais des grâces de labeur et de combat.

Nos différences de caractère s'accentuaient : mari trop silencieux, trop absent ; femme trop jeune, attendant tout de la vie et tout de suite. Très vite, notre foyer s'est révélé souffrant, mais foyer de combat : groupes de prière, retraites, engagements apostoliques.

Le travail de Satan cependant est secret, sournois, habile et rapide. Petit à petit, on ne regarde plus le Seigneur vivre dans son âme et dans celle de son époux, et le Christ disparaît du foyer. *« Veillez et priez car l'Esprit est ardent mais la chair est faible »* (Mt **26,**41). Alors, c'est la chute. Un jour, je me retrouvais dans les bras d'un autre homme. Amour-passion, union totale, profonde, des corps et des esprits, tendresse folle, humour ; faits véritablement l'un pour l'autre. Paradis - et enfer de vivre dans le mensonge.

Au terme d'un entretien très calme où nous avons revu tous nos échecs, nos efforts, nos souffrances, je demandais à mon mari de m'accorder la séparation. Alors, stupéfaite comme la femme adultère contemplant le Christ qui sans mot dire dessinait sur le sol, ou la

Samaritaine au puits de Jacob, à la place de plaintes ou de blâmes, j'entendis mon mari me répondre que les passions passaient, que lui m'aimait et attendrait.

Le cœur de Dieu battait dans un cœur de chair. Un homme humilié et meurtri dépassait sa blessure pour atteindre le sublime, revêtu totalement de la miséricorde du Christ. Pardon rédempteur. Bouleversée, je rompais cette liaison, quelques jours après, non sans déchirement. *« Maris, aimez vos femmes comme le Christ a aimé l'Eglise et s'est livré pour elle »* (Ep **5,**25). C'est-à-dire jusqu'au sacrifice. Et nos sacrifices s'étaient rejoints.

« Un amour fondé en l'Eternel »

Depuis nous avons traversé de grandes épreuves, la main dans la main. Nous pouvons dire comme Jacques Rivière, après une crise douloureuse : *« Oui, le sacrement est en nous, il nous rend notre amour délivré, multiplié, fondé en l'Eternel »*. Nous avons trouvé dans l'union spirituelle de nouveaux modes d'expression et d'approfondissement.

Un jour vient, pour qui sait attendre, où l'amour des époux est tellement en Dieu qu'il n'y a plus à quitter l'un pour aller vers l'autre.

Dans les cœurs que la souffrance a déchirés puis purifiés, le Christ vient prendre une place d'amour plus grande. Le Christ m'a envahie de plus en plus. Si pécheresse que je sois, je peux affirmer avec les mystiques qu'aucun amour charnel, même dans sa plus grande ardeur et sa réussite complète, n'est comparable à la jouissance de l'âme en Dieu. L'âme, unie au Christ au plus profond de la contemplation, atteint un bonheur suprême, une paix qu'aucun mot ne peut décrire et qui rejaillit sur tout l'entourage et sur l'humanité entière. Rien d'étonnant à cela puisqu'aucune créature, si parfaite soit-elle, ne peut combler un cœur assez large pour recevoir le Créateur.

« C'est l'Esprit qui vivifie, la chair ne sert de rien » (Jn 6,63). De cela, les époux chrétiens, tous les jours, au cœur du monde, peuvent témoigner, tout autant que les moines au fond de leur monastère.

Marie-Claire.
(Cité dans *Sources Vives 18* - La Charité)

Te voici donc, enfant de Lumière !

Nous voici subitement propulsés aux premières lueurs de la nuit de Noël. Pour nous, ce soir, brille l'étoile qui nous guide, encore hésitants, vers notre crèche familiale : ce lieu de notre amour où palpite notre attente de toi, notre tout petit au cœur si accordé à celui de Dieu...

Mon corps est rythmé par ces vagues de tendresse douloureuse où seul le souffle apaisant de l'Esprit demeure langage entre nous. Silence tout écoute de notre communion, tendue, offerte, par toi et pour toi, Seigneur, qui nous confie cette petite vie.

Notre avent s'achève en ces instants d'épreuve, épreuve de notre confiance, de notre offrande pour cette vie qui vient au jour : comment transmettre le meilleur de notre amour, notre vie-ensemble reçue d'au-delà de nous-même, sans accepter de donner sa vie, sa souffrance, son sang pour cet être qui déjà nous comble par sa secrète présence ? « Il n'y a pas de plus grand amour que de donner sa vie pour ceux qu'on aime »...

Durant ces neuf mois d'espérance, âme contre âme, nous avons cheminé ensemble, nous découvrant l'un l'autre au fil de ces semaines, dans cette douce proximité où ton cœur battait au creux de mon sein : nous voici maintenant tout prêts à célébrer ensemble cet instant de passage où nous allons enfin découvrir ton visage, te donner un nom, te recevoir pleinement des mains de notre Créateur.

Et encore ces vagues qui m'envahissent et me saisissent, m'incitent à la douce invocation du Nom de Jésus, à m'ouvrir, à me laisser amoureusement renoncer à mon propre corps, pour offrir le passage à ton tout petit coprs d'enfant. Chaque seconde de tempête en mon sein me laisse suspendue au regard attentif de mon époux, unis ensemble dans la louange paisible de ce qui se déroule sous nos yeux, en nos âmes ; comme marchant sur les eaux, nous voici le regard tendu vers cet enfant, la main en celle de Jésus, entourés du silence extraordinairement plein de la tendresse de Marie.

Et voici, tu t'engages en moi, le passage vers la lumière est entamé... m'incitant à m'associer à ton effort, à ton merveilleux désir de naître dans un instant lumineux. Cette fois, toute mon énergie est requise, le Royaume appartient aux violents... et c'est comme une violence d'amour, pourtant toute maîtrisée qui concentre toutes les parcelles de force de mon être... Force physique et profond désir d'amour de te propulser au nom même de l'amour, dans la vie...

Comme doit être immense la tendre violence d'amour infini de notre Dieu pour nous propulser vers Sa Vie, vers Sa contemplation !

Tu frayes ton passage à travers moi, ton visage tout tendu vers l'au-dehors, comme émergeant du secret de la création, Dieu lui-même doit retenir son souffle... ému comme aucun de ce qui s'accomplit.

Et te voilà, ton petit cri accueille cette première brassée d'air que t'offre Ton Créateur... tes yeux s'entrouvrent étonnés, et déjà tu te blottis sur ma peau... te voici donc, enfant de lumière ! Exulte toute la création, glorifiez Dieu, anges et saints du Ciel : ton visage s'offre à nos regards, à nos mains qui se font tendres pour t'accueillir, te recevoir, t'offrir au Père, dans un mouvement incessant... pour l'amour de toi.

Surprise immense d'enfin te voir face à face... et pourtant, certitude sereine d'avoir comme depuis toujours connu ton visage, gravé en nos cœurs dès avant cet instant de ta naissance : tes traits sont comme les lignes de portée d'une mélodie perçue depuis le tout début de ton existence au plus profond de nous-mêmes. Et le Père doit accueillir aussi ta naissance sur notre terre, et te donne par avance ce nom nouveau que pour ton bonheur Il a choisi. A nous, tes parents, de te confier ton prénom pour cette vie, qui dira un peu de ton être, un peu de l'amour que nous voulions te transmettre en acceptant ta vie de Dieu, pour, à notre tour, te donner la vie... « Pour que le monde croie que je suis sorti de toi »...

Les mots sont de trop pour dire... nous ne pouvons que te chanter, Père infini de miséricorde : mon âme exalte le Seigneur ! Notre louange commune nous rassemble en une petite trinité d'amour, bien réelle, toute tournée vers les TROIS dont le bonheur doit être immense.

La création s'associe à cette heure, et signe prophétique de ce que l'amour promet de plus beau... nous sommes un peu ce pays promis où lait et miel coulent en abondance : lait de mon corps, lait du travail de l'homme, nourriture terrestre - et miel de notre amour, nourriture de Dieu qu'Il nous charge de te donner en abondance, du mieux que nous pourrons...

Nous cheminerons donc désormais, et pour toujours, ensemble, vers le Royaume, ce Royaume où les tout-petits comme toi sont les bien-aimés du Père.

Violaine

L'enfant n'est pas un dû à fabriquer

On nous a proposé de faire des tentatives de FIVETTE. Sur le moment, c'est tentant parce qu'on voudrait tout tenter pour attendre un enfant. Mais nous avons eu la chance d'être éclairés par l'Esprit-Saint dans et par l'Eglise. J'ai vite senti, presque physiquement, une incompatibilité entre mon cœur et mon corps tout tendus et ouverts à la maternité et ce tout petit qui allait passer ses premiers jours dans une éprouvette, sans me rencontrer, et peut-être mourir sans avoir été au contact de sa maman, sous la seule responsabilité de chercheurs qui ne peuvent pas l'aimer, sous le regard douloureux de Dieu qui l'aime trop pour lui interdire la vie même dans ces conditions... Mais tout cet Amour que Dieu nous a donné, qu'il a mis entre nous en nous unissant ne peut pas être enfermé dans un laboratoire. Comment toutes ces mères qui se soumettent aux mains des médecins ne sentent pas leur amour maternel déchiré par cette incohérence et cette déshumanisation de la vie humaine ? N'hésite pas à supplier les couples sans enfants de ne pas se confier aveuglément à la médecine avant de se confier à leur Seigneur !

Christel et Hervé (médecins)

III

ACCUEILLIR LA VIE

Ce « oui » dans la nuit

Alors que je désirais ce deuxième enfant, quand je suis tombée enceinte, tout me paraissait impossible à le recevoir ; je n'en avais plus du tout envie. On avait un appartement trop petit. Serge, le père, pas très jeune, aucune patience et ne supportant pas le bruit. Un projet de chantier de peinture hors de Paris et exigeant une « bonne forme physique » me tentait beaucoup. Mon fils Sylvain était très difficile à vivre, souvent malade et nous réveillant toutes les nuits, à vous dégoûter d'en avoir un second ! Par-dessus tout ça, un mal au cœur terrible.

Serge, qui n'aime me voir que forte et souriante me conseillait tous les jours d'aller me faire avorter. J'y pensais...

Mais je savais aussi que si tout allait si mal c'est que le malin n'a que trois mois pour essayer de réaliser sa sale besogne, empêcher la vie. Je sentais que si je tenais le coup ces trois mois, où tout est possible et impossible, tout allait s'arranger après ce oui que j'ai réussi à dire dans la nuit. Et c'est ce qui s'est passé : le Seigneur a touché le cœur de notre voisin qui a bien voulu nous céder une pièce (nous ne dormons plus dans le salon). J'ai eu d'autres propositions de peinture à faire à la maison. Le docteur a dit que Sylvain était maintenant immunisé. Que c'était dur pour lui d'être enfant unique.

Maintenant Yannick a trois visages ravis en permanence au-dessus de son berceau...

Tout le monde dit qu'il est un vrai cadeau du ciel tellement il est sage et souriant. On a l'impression d'avoir une vraie famille et on pense à se marier le jour du Baptême !

Béatrice

Une victoire de l'amour

Alors que ma petite fille a 4 ans, mon petit garçon 9 mois, je suis de nouveau enceinte ! Mais cette fois-ci, c'est un « accident » : erreur de contraception, l'enfant n'a pas été « programmé », pas même souhaité pour un avenir plus lointain ; et pourtant, il est là : petite vie naissante en moi, aussitôt perçue, aussitôt acceptée, aussitôt aimée ! Dans mon esprit, comme dans mon corps, aucun problème : il est comme les autres un enfant de l'amour, il sera... il est mon troisième enfant. Oui, mais... mon mari, lui, n'est pas prêt à l'accueillir, il ne veut même pas en entendre parler, il le refuse catégoriquement et me pose un ultimatum : « Il faut te faire avorter ou bien je m'en vais et je te laisse avec les trois. Ce sera moi et deux enfants ou toi seule et trois enfants ! »

Un gouffre !... C'est comme si un gouffre venait de s'ouvrir entre lui et moi, engloutissant d'un seul coup notre amour : non, ce n'était pas possible que ces paroles viennent de lui. Comment pouvait-il refuser cet enfant comme s'il lui était totalement étranger !...

J'étais si déchirée et désemparée : d'une part, je voulais garder ce bébé, d'autre part, je ne voulais pas perdre mon mari et encore moins rendre malheureux mes deux autres enfants si attachés à leur père. De plus, je ne pouvais pas supporter l'idée de me faire avorter : physiquement je ressentais déjà au creux de moi cette présence, et spirituellement, je considérais que cette vie me venait de Dieu, il ne m'était pas possible de la supprimer.

Mais plus la date limite accordée pour l'avortement se rapprochait, plus le comportement de mon mari vis à vis de moi et aussi de notre fille et notre fils devenait agressif et intolérable... J'allais céder à son odieux chantage : j'avais pris rendez-vous avec le planning familial... C'est alors que je me suis imaginée sur cette table d'opération prenant la fuite à la dernière minute... Et puis, je me suis mise à penser : admettons que je subisse l'opération, comment me sera-t-il possible ensuite de vivre avec un homme qui m'a obligée à commettre un acte que je réprouve, sans le haïr à chaque minute ? Comment pourrais-je encore regarder mes enfants droit dans les yeux après ce meurtre ? Je me suis sentie devenir folle ! Il fallait que je trouve de l'aide...

J'ai téléphoné à un ami prêtre qui m'a donné l'adresse de « Mère de Miséricorde ». Une voix sans visage au bout du fil, mais une voix d'emblée réconfortante... Une longue conversation à l'issue de laquelle je sais que quelle que soit ma décision, je serais soutenue dans l'amitié et la prière. Mais il m'apparaît désormais clairement que mon couple ne survivra pas si je cède au chantage. Il me faut donc préserver ce qui peut l'être encore, c'est-à-dire mon équilibre et celui des enfants, en gardant le bébé.

De nombreux et pénibles affrontements firent suite à ma résolution. Les mêmes arguments ressurgissaient toujours : « Tu ne penses qu'à toi, tu gardes ce bébé pour te faire plaisir, mais tu te moques du fait qu'il va me « ficher » ma vie en l'air ; tu dis que tu ne supporteras pas l'avortement mais cela t'est bien égal si je ne supporte pas d'avoir trois enfants. Tu vas briser notre couple et rendre les gosses malheureux. Tu es une égoïste et tu ne m'aimes pas. Tu te débrouilleras toute seule, je ne t'emmènerai même pas à la maternité ! »

Le plus souvent, je ne lui répondais pas, tout ce que je disais, il refusait de l'entendre, emmuré dans son obstination. Comment lui faire comprendre qu'au travers de l'enfant, j'aimais aussi celui avec qui je l'avais conçu ?... Sinon en évitant de répondre à l'agressivité par de l'agressivité ! Que de larmes versées ! Quand je n'en pouvais plus, je décrochais le téléphone et je reprenais courage. Des gens jeûnaient et priaient pour nous : pour moi, pour que je tienne le coup, pour lui, pour qu'il finisse par accepter le bébé : là, j'étais sceptique ! Autant vouloir déplacer un mur à la force des bras !...

Pourtant, au fil des semaines, imperceptiblement, son attitude se modifiait : d'abord, il devint moins agressif dans ses propos, sans pour autant en changer le sens et puis surtout, il reprit un comportement normal avec les enfants. De temps en temps, je subissais de nouveaux assauts par lesquels il me rappelait énergiquement qu'il ne changerait jamais d'avis à propos de cet enfant, qu'il ne considérait pas comme le sien.

Mais la vie de tous les jours était plus sereine ; je m'en réjouissais intérieurement sentant confusément qu'il se produisait là quelque chose de miraculeux. Il en vint un jour à me dire qu'il m'accompagnerait tout de même à la maternité (il fallait parcourir 60 km pour rejoindre la clinique) mais qu'il me laisserait devant la porte ; plus tard qu'il n'assisterait pas à l'accouchement, mais attendrait la fin avant de rentrer à la maison. Enfin, à l'approche du terme de la grossesse, il ne parlait plus de me quitter, mais de faire chambre à part à la venue du bébé, tout en affirmant qu'il ne s'en occuperait pas ni même ne le regarderait. Néanmoins, quand je formulais le prénom que je souhaitais donner à l'enfant s'il s'agissait d'un garçon, il dit qu'il ne lui plaisait pas et choisit lui-même un autre prénom.

Cela suffit à me rendre heureuse et pleine d'espoir en dépit des difficultés qui surgissaient encore.

16 mai 1986 : le bébé est né à 2 heures du matin. C'est un garçon qui ressemble... à son papa et devinez... : le papa en question, sans que je lui demande quoi que ce soit, m'a accompagnée à la clinique, a assisté à l'accouchement et... a suivi les premiers soins donnés par la puéricultrice avec encore plus d'attention qu'il ne l'avait fait pour les deux aînés. Et moi, je suis au comble du bonheur ! Je serre contre moi mon bébé de l'amour et je fonds : je m'extasie, je cajole, je le couvre de baisers...

En ce début de mars 1988, le petit bonhomme a 22 mois. Epanoui, heureux de vivre, il occupe dans la maison une telle place qu'on ne pourrait plus imaginer la vie sans lui. Il est comme un rayon de soleil après l'orage.

Si effectivement, les premières semaines, mon mari a fait semblant de l'ignorer (tout en lui jetant tout de même des regards furtifs), il s'est laissé peu à peu séduire par les sourires puis les gestes tendres que celui-ci lui adressait dès qu'il le voyait. C'était comme si l'enfant voulait lui dire : « Tu ne voulais pas de moi, mais tu m'aimeras malgré toi. » A présent, il joint la parole aux gestes en disant : « Câlins Papa ! » Et le papa câline et s'occupe de son fils de la même manière qu'il s'occupe des autres. Malgré tous les jours difficiles où la fatigue et les soucis se font envahissants, il lui arrive de prononcer encore des phrases telles que : « Tu vois bien que celui-là est de trop, je te l'avais bien dit ! » Mais peu m'importe : il faut savoir ignorer les mots qui deviennent vides de sens lorsque les gestes les contredisent. Et je vous assure que les gestes de ce père-là, à l'égard de ses trois enfants et de leur maman, sont vraiment des gestes d'amour.

J'ai le sentiment d'avoir remporté une victoire non pas contre mon mari mais avec lui : *l'amour a fait grandir l'amour !*

Sylvie

IV

PROTÉGER LA VIE

Inviter à la vie, sous le regard de Marie

Je suis médecin généraliste, marié, père de quatre enfants, installé depuis trois ans dans un village des Vosges où aucun jeune ne pratique. Pendant deux ans et demi, j'ai prescrit la pilule à toutes les femmes de 13 à 45 ans. Nous souffrions beaucoup de l'isolement spirituel et étions prêts à partir.

On nous a alors conseillé de participer à la session des familles 1986 à Paray-Le-Monial. Nous y avons vécu pour la première fois, ma femme et moi-même, une rencontre personnelle avec Jésus.

En restant dans notre village, pleins d'enthousiasme, nous avons formé un petit groupe de prière et commencé à louer le Seigneur.

Je continuais à prescrire la contraception et sentais un malaise grandir en moi à ce sujet. Je manifestais beaucoup d'agressivité envers les rares confrères non prescripteurs et tous ceux qui rappelaient les exigences morales de la foi. Ma femme voyant le malaise grandir en moi, m'a doucement poussé à participer au pélerinage eucharistique avec Marie à Lourdes.

Les premiers jours, je n'ai pratiquement rien suivi, j'avais une grande résistance spirituelle en moi et plus d'une fois j'ai failli prendre le train du retour. Puis, un jour, éclairé par un jeune prêtre, je me suis senti poussé à porter la médaille miraculeuse. J'ai été me réconcilier avec le Seigneur, et le calme est revenu.

Durant un enseignement, la Vierge Marie m'a révélé le rôle qu'elle devait avoir dans ma vie par ces paroles d'un jeune de Jeunesse-Lumière : « Chaque matin, avant de commencer notre journée d'évangélisation, nous prions Marie de nous donner un cœur doux et humble pour approcher nos frères blessés sans leur faire peur... » On nous donnait alors l'exemple de ces jeunes qui n'ont pas peur d'être signes de contradiction avec et pour le Seigneur. J'ai alors immédiatement ressenti un appel profond à manifester, moi aussi, ma confiance au Seigneur en ne prescrivant plus de contraception et à remettre le risque de perdre ma clientèle entre ses mains. Ma décision prise, une grande paix m'a envahi.

Pendant les premiers jours qui ont suivi mon retour, je n'ai pas eu l'occasion d'annoncer ma décision à mes patientes. Puis un matin, j'ai reçu par la poste une reproduction de l'Icône « Marie Porte du Ciel ». Cette icône est entrée dans mon cabinet médical et les premières patientes ont pu alors venir recevoir toutes mes explications sur ma nouvelle décision définitive de ne plus prescrire la pilule et de leur proposer désormais une méthode naturelle de régulation des naissances.

Les fruits ont alors commencé à apparaître : dans notre couple est né un désir profond de chasteté conjugale. Notre groupe de prière a commencé à croître. Le curé de notre village a accepté une Adoration du Saint-Sacrement. Quelques couples ont déjà décidé de commencer une méthode de régulation naturelle de la fécondité.

Quant à mon métier de médecin, je le fais maintenant dans une grande paix intérieure, sous le regard de Marie Porte du Ciel.

Philippe

Maintenant, j'ai mieux à vous proposer

Je suis médecin généraliste depuis près de quinze ans. Mais j'ai toujours pensé que, avant mon métier, ma première vocation, c'était la famille. En nous mariant, Marie-Odile et moi voulions une famille nombreuse. De ce point de vue, le Seigneur nous a comblés, puisque nous avons eu sept enfants, dont un est né sans vie, puis nous avons adopté quatre enfants handicapés, trisomiques 21. Nous avons découvert la méthode Billings il y a cinq ou six ans, et nous l'utilisons dans notre ménage avec joie. Toutefois, sur le plan professionnel, j'étais un prescripteur de la pilule contraceptive, j'ai toujours fait une distinction entre cette dernière et le stérilet, que je déconseillais rigoureusement, car dans bien des cas, il réalise un avortement, l'ovule fécondé ne pouvant s'implanter sur l'endomètre. J'ai toujours essayé de dissuader les candidates à l'avortement et de les aider moralement. Sur le plan contraceptif, je laissais faire et je prescrivais la pilule quand on me la réclamait (sauf contre-indication médicale, ou trop jeune âge de la patiente). J'étais conforté dans cette attitude par la réflexion que m'avait faite un jour un confrère catholique dans une réunion. Il avait demandé à l'évêque de son lieu si un médecin chrétien avait le droit de prescrire la pilule. Il en avait le droit, lui avait dit l'évêque, si la patiente la réclamait avec force, même si au fond de lui-même ce médecin n'était pas d'accord. J'avoue que ces propos m'avaient rassuré sur mon comportement.

Je vivais avec cette idée, mais n'étais jamais à l'aise en prescrivant la pilule. Or depuis cet été, depuis le début de l'année mariale en fait, j'ai retrouvé une réelle ferveur envers la Vierge Marie. Et à l'occasion d'un week-end dans un monastère en juillet dernier (nous sommes oblats bénédictins), j'ai brusquement décidé de ne plus prescrire la pilule (décision qui en a entraîné une autre, quelques semaines plus tard, à savoir la messe quotidienne, et l'octroi du lundi matin de congé, en plus du jeudi entier que je prenais déjà). J'étais tremblant le lundi, en reprenant mon travail, dans l'attente de la première patiente qui me demanderait la pilule. Mais je dois dire que tout s'est très bien passé : je lui ai expliqué ma position à partir de ce jour, et lui ai parlé de mon nouvel engagement dans une méthode de régulation naturelle des naissances. Et elle est repartie avec une plaquette « Billings ».

Depuis quatre mois, j'ai vu beaucoup de femmes dans mon cabinet. Je leur ai toujours expliqué franchement ma nouvelle position vis-à-vis de la pilule. La plupart ont respecté mon attitude, certaines ne l'ont pas comprise ; quelques-unes sont même reparties mécontentes et je ne les ai plus revues. Mais presque toutes continuent à me revoir. Le Seigneur est bon : j'ai beaucoup de travail et mes rendez-vous sont très « serrés ». Or quand une femme vient pour la pilule, comme par hasard j'ai toujours un peu plus de temps devant moi, et je peux toujours avoir une discussion approfondie. Moi qui, en cinq ou six ans, n'avait parlé que cinq ou six fois de la méthode Billings, j'ai pu en parler en quatre mois au moins cent fois. J'ai distribué au moins quatre-vingt brochures de la méthode. Et je ne la donne jamais de force. J'attends que la patiente me la demande. Au cours de la consultation, j'explique les grands principes de la méthode et je demande toujours que la femme ou mieux le couple, vienne voir mon épouse à la maison pour la mise en route de la méthode. Je sais pertinemment que sur le nombre, beaucoup ne persévèrent pas, mais mon épouse et moi-même avons déjà eu la joie d'enregistrer une vingtaine de couples, en quatre mois, qui se sont lancés sérieusement. En préambule, je dis toujours deux choses quand je parle de la méthode Billings. Pour la suivre, il faut : - que le mari et la femme soient bien d'accord tous les deux, et non pas l'un seulement, - que les époux s'engagent à respecter la vie. Si échec il y a, que cela ne débouche surtout pas sur un avortement. Le refus de prescription de la pilule a été pour moi le point de départ de relations avec mes patientes beaucoup plus approfondies qu'avant.

Dr Dominique Berjot

V

DONNER LA VIE, AUTREMENT

**Pour que ma souffrance ne soit pas stérile,
mais engendre la vie !**

Si j'écris ce mot, c'est que je veux crier, je veux donner
un sens à ce qui m'arrive. Cela n'enlève rien à ma souffrance, mais cela l'éclaire de l'intérieur. Si ce que je vais
écrire peut servir à quelque chose, alors c'est une raison
suffisante pour que je rende grâce à Dieu pour cette
épreuve.

Quand le docteur m'a dit qu'il pensait que ce devait
être la maladie (X), (je ne me souviens plus du nom), je
n'ai pas compris, et lorsqu'il m'a expliqué que cela empêchait la formation d'ovules, j'ai tout de suite tradui :
pas d'enfants. Ma première réaction à été de me révolter. Tout mais pas cela ! Je me sentais déchirée, dimi-
nuée, cela atteignait l'essence même de ma féminité.
J'avais le sentiment d'avoir été « avortée » de mon po-
tentiel de donner la vie, et j'étais plus frappée encore par
la souffrance de toutes ces femmes qui, elles, se font
réellement avorter et qui en portent la cicatrice dans leur
cœur et dans leur corps. Cette idée m'était intolérable, je

voyais quelle était ma souffrance alors que ce n'était pas une vie à proprement parler que j'avais perdue mais la possibilité de la transmettre et je n'osais, sans éprouver une souffrance plus grande encore, songer à ce que devaient ressentir celles qui perdaient réellement une vie. Et cela m'a permis de percevoir un peu mieux ce que représentait ce mystère qu'est de donner la vie.

Que peut-il y avoir de plus beau pour une femme que de sentir qu'un être naît au plus profond de son corps ? C'est un prolongement de sa propre vie. Quel grand mystère d'intériorité ! Pour moi ce mystère rejoint étroitement celui du Christ Lui-même. Cela peut sembler bizarre mais je vais m'expliquer. La vie de l'être qui repose en nous commence à partir du premier battement de son cœur ; et qui d'autre, à part sa propre mère, peut lui donner cette impulsion de départ, ce premier battement sans lequel il n'existerait pas ? Et quelle merveille que pendant neuf mois, il va y avoir une communion de cœur entre la mère et l'enfant ! Par ailleurs c'est d'une certaine manière par le sang que se transmet la vie. La mère se donne entièrement pour son enfant, c'est réellement la chair de sa chair ; elle lui donne sa vie pour lui donner la vie.

Par tous ces points, je retrouve le mystère du Christ. Je pense que le Christ nous a enfantés et nous enfante parce qu'Il est mort sur la croix pour nous. Car c'est par son cœur ouvert qu'il nous donne la vie. C'est par ce même cœur ouvert que coule son sang ; sang qui nous lave de nos péchés et nous rend la vie. Et enfin, c'est par sa chair livrée pour nous dans l'Eucharistie, qu'Il nous nourrit et nous permet ainsi de vivre cette vie qu'il nous a transmise.

On essaye de banaliser l'avortement pour le rendre moins blessant pour la femme qui y a recours, mais c'est une imposture, car jamais les hommes ne pourront diminuer la souffrance que provoque un avortement. Ce mystère de la conception est trop grand, trop beau ! Seul le Christ qui est Amour peut guérir une blessure provoquée par ce refus même de l'amour.

Ce que j'ai retiré de cette épreuve, est premièrement, un plus grand respect pour la vie. Deuxièmement, qu'il y a plusieurs manières de donner la vie : par son corps dans la maternité ; ou par son âme, en se donnant entièrement aux autres par amour pour Dieu et pour son prochain. Mais quelle que soit la manière, nous sommes tous appellés à donner la vie.

Laetitia

Un nouvel amour : notre mariage en Dieu

Depuis presque deux ans que l'on se fréquentait, une note sonnait faux dans notre amour. J'étais très aveugle, il m'a fallu un an pour m'apercevoir que nos différences de foi étaient la clé du problème. Ayant suivi des études scientifiques, Daniel admettait qu'il eut fallu quelque chose pour la création de l'univers. Ce quelque chose qu'il n'appelait pas forcément Dieu.

Je croyais et je crois toujours sans démonstrations mathématiques, ce qui doit s'appeler je pense : la Foi. Lorsque je lui ai expliqué que je ne ferai aucun engagement tant qu'il ne serait pas converti, il a décidé de changer, car il ne voulait pas que l'on se sépare, il m'aimait trop pour cela. Et depuis quelques mois, il avait le désir de se convertir, et, lorsqu'on en discutait il me disait toujours : « Mais tu crois que si je suis converti, je m'en rendrai compte ? Qu'est-ce que cela me fera ? Est-ce que moi, Daniel, je pourrai un jour être converti, et enfin te comprendre ma chérie ? » Deux semaines avant Versailles, je lui ai franchement dit que j'aimerai vraiment qu'il aille à ce congrès car ce serait le « déclic » de sa conversion. Il était donc partant pour Versailles.

On a eu la chance d'être placés au tout premier rang assis sur le sol. Ce fut donc André Levet qui a donné son témoignage, et là ce fût « le coup de masse, » Daniel a été assommé. C'était le délic, en quelques instants, il avait tout compris. Dans l'avant-dernière lettre, il m'écrivait à ce propos : « André Levet m'a fait pleurer, et ce ne sont pas des larmes de pitié ou de tristesse mais ce sont des larmes de prise de conscience pour tout ce que je ne savais pas.

En pensant et en écoutant son témoignage, je me rendais compte que malgré tout ce que je savais déjà (au niveau matérialiste) je n'étais qu'un grain de poussière par rapport à ce que j'apprenais de minute en minute. » Lorsque nous sommes ressortis du chapiteau, il était heureux, vraiment heureux. Il s'étonnait de voir autant de jeunes, d'être dans une ambiance si chaleureuse. Week-end inoubliable pour lui.

La première lettre qu'il m'a écrit après ce congrès, (dès le lendemain) commençait ainsi : « Je ne te remer-cierai jamais assez et je ne trouverai pas les mots pour te le dire, du plus profond du cœur : tu as réussi ce que seule une chrétienne pouvait me faire, me convertir, me faire comprendre que d'aller à la messe ne suffisait pas, qu'il fallait être sûr au plus profond de soi-même que Dieu était en nous, qu'il nous aimait. Je suis sûr maintenant que Dieu existe et qu'il s'est fait homme sur la terre, etc... » Dans le courant de cette lettre, il me disait aussi : « Ce matin, je me suis réveillé, j'avais dans la tête un air d'un chant que nous avons joué à une messe d'enfants. Ce chant je ne l'aimais pas car il était trop dur à jouer à la guitare, et il m'était complètement sorti de la tête, il s'appelle : « Je m'appelle Pierre » et la première phrase qui m'a mis l'air dans la tête est la suivante : « Depuis que je t'ai rencontré, je ne peux plus me taire ! » Ce qui allait être exactement le cas de Daniel ; depuis qu'il avait rencontré Jésus dans son cœur, il ne pouvait plus se taire.

Il est rentré le week-end suivant chez ses parents et a essayé de faire partager tout ce bonheur qui était en lui, à ses parents et à son frère. Mais ils n'ont pas apprécié, ses parents lui disaient que cette joie était normale comme après un pèlerinage, mais que cela cesserait. Ils ne comprenaient plus leur fils, ils ne retrouvaient plus leur fils.

Il a aussi eu de fortes discussions avec son frère qui ne partageait pas du tout ses idées. Mais lorsqu'il est arrivé chez nous, il comprenait qu'il avait eu raison de persévérer dans cette joie, dans cette Foi. Le samedi soir, il me demanda de prier ensemble. J'ai été surprise, c'était la première fois que l'on allait prier tous les deux. Après cette prière, il m'avait demandé mon chapelet pour l'emporter dans sa chambre pour la nuit. Ce soir là il m'avait raconté une petite anecdote qui lui était arrivée dans la nuit du mardi au mercredi de la semaine qui venait de s'écouler. Dans la journée du mardi, en travaillant, il avait humblement imaginé : « Si Jésus venait me voir comme André Levet, ce serait bien. » Puis cette idée lui était complètement sortie de la tête. Il a terminé sa journée et avant de se coucher à récité le chapelet pour la deuxième fois de sa vie et de mémoire car il ne possédait pas de chapelet. Il s'est ensuite endormi. Puis dans la nuit, quelqu'un frappa deux coup à sa porte, d'après Daniel, deux coups assez forts qui ont résonné dans sa chambre. Il a donc allumé et a regardé l'heure, il était exactement deux heures du matin. Ensuite le silence complet, plus aucun bruit. Lorsqu'il s'est levé, le lendemain matin, il demanda à tous ses voisins de chambre, s'ils étaient venus frapper à sa porte. Personne ne s'était levé pour frapper à sa porte.

Quand il m'avait raconté ceci, il appréhendait de voir ma réaction pensant que je ne prenais rien au sérieux de tout cela. Je lui avais donc répondu que son imagination lui avait peut-être joué un tour, mais qu'il était tout à fait possible que Jésus ait frappé à sa porte. Deux heures du matin comme André Levet, est-ce la coïncidence ?

Il me disait aussi dans cette lettre : « Ce soir en terminant ma tapisserie, j'ai eu une grande envie de prier, sans y penser, tout d'un coup il fallait que je prie, que je parle à celui qui nous aime tous. Je te le dis maintenant la prière fait partie de ma vie sans que je m'y force, sans que je me dise, il faut que je prie aujourd'hui car sinon cela n'est pas bien. » Ce week-end du 12 et 13 mars, Daniel a donc essayé de faire passer le message de la Foi avec sa famille et à l'un de mes beau-frère. Je lui avais aussi appris des prières car il ne connaissait que le « Notre Père » et le « Je vous salue Marie. » Et surtout, il a passé deux jours à me questionner, il avait une telle soif de Dieu, il était insassiable. En tout cela, il était humble tel un petit enfant qui pose des questions à sa maman. Le dimanche matin, avant d'aller à la messe, je lui avais dit : « Ça va être ta première messe que tu vas vivre différement » et Daniel m'avait répondu aussitôt : **« Ça va être**

ma première messe carrément.» Il est donc reparti dans la soirée de dimanche pour une nouvelle semaine de travail à Rambouillet.

La lettre de cette nouvelle semaine commençait par le dessin d'un chapelet avec cette phrase : «Le chapelet, cette prière merveilleuse qui nous relie au cœur de Marie et qui amène la paix dans les familles.» Et à l'intérieur de cette lettre, il me disait qu'il avait de plus en plus envie de me crier merci pour ce que je lui avais fait découvrir. Il écrivait en parlant de Dieu : «Peut-être s'est-il rendu compte que cela ne pouvait pas «tourner rond» entre nous deux alors il est intervenu, j'en ai la conviction : il m'a fait comprendre que je faisais fausse route avec toi en vivant sans Foi.» Là encore, dans cette lettre, sur trois pages, seulement trois lignes ne parlent pas de religion.

Dans ses deux dernières lettres, Daniel avait écrit deux prières dans lesquelles il demandait à Dieu de lui donner la force de continuer à croire en lui, et de nous unir dans un mariage chrétien. Il voulait vivre en parfaite harmonie avec la Sainte Famille véritablement chrétienne.

J'avais demandé à Dieu la conversion de Daniel, mais jamais je n'aurais pensé obtenir autant. Dieu m'avait comblée.

Dans le week-end du 19 et 20 mars, Daniel était toujours aussi fou de joie d'être converti. Par contre, ses parents ne le comprenaient pas, surtout lorsqu'il a dit à sa maman : «Tu sais, je prie tous les jours maintenant.» Nous sommes allés à la messe le samedi soir, car ma sœur et moi devions lire les lectures.

Pour la nuit, Daniel m'avait redemandé mon chapelet pour prier le soir et le matin avant de se lever. Il avait insisté pour que nous prions tous les deux, et ensuite il m'avait posé des tas de questions. Ils m'étonnait dans tous ses propos : en quelques semaines il avait tellement changé. Depuis Versailles, nous ne vivions plus le même amour, **c'était un nouvel amour qui commençait :** un vrai, un solide, un formidable.

Pendant toute la matinée du dimanche, Daniel s'était entraîné à la guitare en apprenant le chant de Roger et Patrice Martineau : **«Maman aux bras toujours ouverts».** Je lui avais demandé de l'apprendre, car il me plaisait particulièrement ; lorsque je l'écoute, j'ai l'impression de monter un peu plus à chaque couplet vers le Ciel. On l'a chanté ensemble toute la matinée.

Daniel avait souhaité que l'on passe l'après-midi tous les deux, car cela n'était pas arrivé depuis longtemps. Je lui avais donc proposé d'aller au Marillais (près de St Florent le Vieil, lieu marial). Dès notre arrivée, Daniel était désireux d'entrer dans la chapelle pour prier tous les deux. Ensuite, nous avons admiré les vitraux, l'architecture, l'historique, etc... Daniel était vraiment heureux. Après nous nous sommes promenés dans la campagne et là nous avons eu entre autre, une discussion sur la mort. Je lui disais que j'avais peur de mourir et lui me répondit aussitôt : **«Moi ça va je n'ai pas peur»,** d'une voix si paisible que je n'ai su répondre quoi que ce soit.

Quelques objets sont à vendre près de la chapelle, Daniel voulait y aller pour s'acheter un chapelet. J'étais très heureuse et me suis empressée de lui en offrir un. L'après-midi s'avançait, je pensais que Daniel allait vouloir repartir. A mon grand étonnement, il m'a demandé de faire le chapelet médité avec les pèlerins. C'était pour lui la première fois. Il est donc reparti ce dimanche vraiment heureux avec son chapelet. Chez lui, il devait prendre du buis pour sculpter une petite croix qu'il aurait installé dans sa chambre à Rambouillet. Il voulait aussi fabriquer un petit banc pour prier plus longtemps. Pourtant, depuis une semaine il priait une heure le matin et une heure le soir. Mais il éprouvait le besoin de prier encore plus, toujours plus. Je lui avais prêté «Le Nouveau Testament» et un petit livre de prières pour accompagner ses prières.

Dans la semaine suivante, il m'a téléphoné le jeudi soir 24 mars. Tout allait pour le mieux, il était très joyeux. Daniel devait rentrer en train vers Rambouillet (train à 3 h00), mais comme un ancien élève avec qui il avait discuté rentrait en voiture vers Versailles, le Père Gernez a proposé à Daniel de rentrer avec lui. Ils sont partis tous les deux, par une nuit de tempête. Mais à Concerré, ville après Le Mans, ce fût l'accident. Les secours ont été rapides; après avoir découpé la voiture, ils ont sorti Daniel et son ami. Ce dernier n'avait que quelques lésions. Daniel restait toujours conscient malgré la gravité de sa blessure. Et toutes ses réponses aux questions des gendarmes étaient censées. Mais à chaque fin de phrase il ajoutait: «Mais dépêchez-vous» Lorsqu'on l'a installé dans l'ambulance, il a perdu connaissance, il est arrivé à l'hôpital dans le coma. Il avait perdu trop de sang, les médecins ne lui trouvaient même pas son pouls tellement il était faible.

Nous étions le 25 mars, jour de l'Annonciation et il était deux heures du matin, Daniel a quitté notre monde pour rejoindre le Ciel. En ce jour de l'Annonciation, je suis convaincue que Daniel a dit OUI du plus profond de son cœur à Marie sa maman du Ciel.

J'ai été très éprouvée les premiers jours, je ne pensais pas pouvoir vivre sans lui. J'avais même imaginé qu'il allait ressusciter. Je ne voulais pas croire que ce nouvel Amour que nous vivions depuis trois semaines allait s'arrêter là. J'ai donc appris à vivre avec Daniel dans mon cœur, en moi et non plus près de moi. Daniel m'aide beaucoup, il ne me laisse jamais seule, je crois qu'il m'aime toujours.

Quand à sa sépulture, elle a été d'une beauté ! Un prêtre m'a dit : « Cette sépulture était sublime, on aurait dit un mariage, **c'était votre mariage en Dieu** ».

Isabelle, 22 ans

ANNEXES

EN SUÈDE: UNE HUMANITÉ BLESSÉE À MORT?

L'éducation sexuelle

En Suède, comme en Russie, «L'Etat se préoccupe de la morale» (Huntford [1] p. 227) «pour des raisons idéologiques.» Comme le dit M. Ingvar Carlson, ministre de l'Education, 'l'Etat se préoccupe des mœurs car son désir est de changer la société'.» (p. 228) Dès l'école, «Le meilleur endroit pour s'attaquer aux problèmes de mœurs et de moralité est de toute évidence l'école, et depuis 1956, l'éducation sexuelle est devenue obligatoire dans toutes les écoles suédoises.» (p. 230) Au nom de la liberté individuelle, laïques et socialistes veulent supprimer toute morale et enlever des lois toute influence religieuse; «Le professeur Alvar Nelson, expert juridique auprès du gouvernement, a déclaré: «Notre objectif est de supprimer de la législation tout vestige de la morale de l'Eglise.»

Une attitude amorale prédomine, qui mène en dernière analyse à *une conception purement physiologique du sexe*, considéré comme *une fonction organique, que l'on doit exercer afin de rester en bonne santé* — au même titre que le manger, le boire, le bon fonctionnement des intestins ou la pratique modérée des sports.» (p. 231)

«Les autorités pédagogiques reconnaissent que la *copulation* des adolescents est un sport officiellement approuvé et un facteur d'adaptation sociale» (p. 235)!

---

1. La plupart des citations sont tirés de: *Roland Huntford*. le «paradis suédois», Fayard 1975.

« La *contraception* est enseignée dès le début, de sorte que les enfants apprennent très jeunes à faire la différence entre sexualité et reproduction. Lorsqu'ils en arrivent à ce que l'on désigne avec une froide raison comme leur 'début sexuel', ils sont imbus de l'idée que le coït se suffit à lui-même, et qu'il peut être judicieusement cultivé sans risquer des conséquences indésirables. C'est exactement l'effet recherché » (p. 231) « Il faut supprimer l'émotion dans la sexualité. » (p. 233).

« La nouvelle permissivité mène à la sexualité obligatoire. Les écoliers suédois se sentent poussés à avoir des rapports sexuels, qu'ils le désirent ou non. Telle est la coutume dans leur société et ils ont secrètement peur de ne pas être normaux s'ils ne couchent pas immédiatement ensemble. » (p. 234).

Le mariage

Depuis la loi de 1973 ; « Le mariage sera un simple contrat, que les signataires pourront établir ou résilier à volonté, par une simple formalité administrative », la cérémonie, même civile, deviendra un 'extra' facultatif. Le mariage est d'ailleurs devenu pratiquement superflu, sauf lorsqu'une femme désire porter le nom de son mari.

L'attachement des époux l'un à l'autre n'entre pas en ligne de compte et, puisque le mariage est réduit à un simple accord de vie commune pour le temps que cela convient, on comprend que depuis 1973, le divorce est devenu une simple formalité.

En 83, déjà 40 % des enfants étaient nés hors-mariage : ceux-ci sont héritiers légaux au même titre que les autres, seule la parenté biologique étant reconnue par la loi.

Solitude des divorcés, tournant souvent à l'inceste avec leurs enfants. *Solitude des femmes* de plus de 40 ans : quand les hommes cherchent une nouvelle partenaire, ils préfèrent une fille beaucoup plus jeune.

La famille

Moins de 30 % des foyers ont des enfants. 18 % seulement en ont plus d'un. D'où désastre démographique !

Le système suédois est tel que la mère qui veut élever elle-même ses enfants à son foyer doit *simuler le divorce : « Celles qui préfèrent malgré tout s'occuper de leurs gosses que les confier à toute la chaîne des garderies d'enfants stipendiées n'ont d'autre ressource que compenser la pénalisation fiscale de la famille, qu'en obtenant par exemple* l'allocation de femme seule. Pour cela, elles recourent au *divorce de complaisance* la forme la plus courante d'évasion fiscale dans les jeunes ménages. On n'en compterait pas moins de 100 000 dans le royaume. »

Dépossédés de leur autorité par les sociaux-démocrates, les parents n'ont rien à dire dans l'éducation de leur enfants. « Pas un domaine de l'éducation n'échappe à l'autorité de l'Etat » (p. 136) car, pour les socialistes, « seule la société a le droit de décider ce que l'on enseigne aux enfants. » (p. 137) La société, c.-à-d. « un petit groupe de planificateurs du directorat »

« Les théoriciens de l'éducation désirent que le père *et* la mère soient occupés loin du foyer, de sorte que les enfants ne puissent y rester. Il faut affaiblir les liens familiaux et élever les enfants dans des crêches et des jardins d'enfants. » (p. 142)

Avec le travail professionnel de l'homme et de la femme, chacun vit seul et pour soi : un couple arrive à mener une double vie de célibataires sans trop de difficultés.

Le travail de la femme hors du foyer déstabilise la famille par le surcroît de travail et de fatigue dû à une double occupation, et aussi par l'absence de la mère : « Personne n'est à la maison pour soigner les enfants et les entourer de l'affection dont ils ont tellement besoin. C'est alors qu'ils vivent en bande terroristes ; dès 14-15 ans. »

Les « blousons noirs » sont devenus tels, car ils « n'ont plus de foyer. Ils disposent naturellement, pour manger et dormir, de la maison de leurs parents. (...) elles sont bien meublées, confortables (...) Mais ce sont souvent aussi *des maisons vides*. Les parents n'y rentrent du bureau que vers six heures du soir.

Notre 'raggare' (= blouson noir) y traîne entre des murs déserts. Le soir, les parents sont fatigués, irritables. C'est naturel, ils ont derrière eux une longue journée de travail. C'est bien naturel aussi qu'ils sortent pour se changer les idées. Ils partent au restaurant, au cinéma. Le 'raggare' se retrouve encore seul.

Dans certaines familles, il n'existe même plus de repas où l'on se retrouve tous ensemble. Tout au plus, la tisane devant la Télé avant de se coucher.

L'Etat suédois achève de dissoudre la famille en assurant très tôt l'indépendance financière des enfants vis-à-vis de leurs parents, sans l'intervention de ceux-ci. L'allocation familiale, identique pour chaque enfant, est remplacée par une allocation d'études à l'âge de 16 ans.

Le comble : l'*enlèvement administratif des enfants*. Non seulement «le risque d'arbitraire est évident» (p. 45) tant de la part des fonctionnaires que du côté des «délateurs (qui) se voient garantir l'anonymat», mais l'affection et la compétence des fonctionnaires ne sont même pas garanties : «Une fois investis, les assistants sociaux disposent d'une autorité pratiquement absolue pour déposséder les parents naturels de leur autorité et responsabilité parentale. Sans avoir dû nécessairement faire la preuve pour autant qu'ils étaient qualifiés.» (P. Thonon : Les nouveaux parents», p. 92) !

Cet abus de pouvoir ne concerne pas quelques cas isolés.» Sur près de 25 000 mineurs soustraits à l'autorité parentale en Suède — contre moins de mille dans les trois autres pays scandinaves — 11 000 environ le sont contre la volonté de leurs parents» [2].

Après tout cela, comment s'étonner que la Suède ait le taux le plus élevé pour l'Europe de suicides de jeunes ? Mais comment s'étonner aussi de la forte réaction qui se manifeste dans les générations montantes, contre tant d'atteintes à la vraie liberté ?

---

2. P. Thonon : « Suède : main basse sur le citoyen », « Pourquoi pas ? » 30 novembre 1987.

UNE PROPAGANDE CŒRCITIVE
DANS LES PAYS OCCIDENTAUX

Les organismes militant pour un malthusianisme généralisé, comme l'IPPF *(International Planned Parenthood Federation)* ou le FPA *(Family Planning Association)* lobbies aux réseaux extrêmement puissants dans les pays anglo-saxons, promeuvent le concept selon lequel il n'y a ni bien ni mal en matière d'activité sexuelle. Ils prônent les intimités sexuelles orales et anales, partouzes, mawsbotiens collectives, inceste entre frères et sœurs, actes sexuels avec les animaux, cela le plus tôt possible. (Résultat: en Angleterre, 60 000 enfants (-16 ans) reçoivent des contraceptifs). Alors même que les statistiques médicales établissent la connexion entre relations sexuelles précoces ou à partenaires multiples, et le cancer du col chez les filles, en plus des autres MTS [3].

L'homosexualité est particulièrement prônée, et provoquée, dès le plus jeune âge, comme un moyen de dériver l'instinct sexuel sans risque de fécondité. La littérature gay s'insurge contre l'hétérosexisme (l'opression hétérosexuelle). En Angleterre l'initation précoce à l'homosexualité s'infiltre dans les cours d'éducation sexuelle. Le Conseil d'Education sur la Santé

---

3. Voir Valérie Riches. *« Education sexuelle et génocide organisé »*. Et: de Lagrange. *« Un complot contre la vie. »* Société de production littéraire 1979.

y diffuse livres et vidéos pro-homosexuels. Aux USA, l'ancien ministère de la Santé publiait un rapport selon lequel à la fin du cours, on notait un pourcentage beaucoup plus élevé se livrant à l'homosexualité, comme aux activités sexuelles orales et anales. Le GTG *(Association des enseignants gais)* par tous les moyens prône la pedophilie. (Sur la situation dans les pays anglo-saxons, voir le document : « *Leçons gays*. Comment les Fonds publics servent à promouvoir l'homosexualité chez les enfants » par *Rachel Tingle*. (Pickwick books. 1986).

En France, dans « *L'amour, c'est pas triste* » ouvrage recommandé par le document officiel « J'aime, je m'informe » : L'homosexualité est au même titre que l'hétérosexualité une « façon de vivre le plaisir sexuel et amoureux » suivent des adresses de centres homosexuels.

Par ailleurs, innombrables les incitations à l'homosexualité dans la publicité commerciale, comme dans nombre de revues, BD, vidéos pour jeunes, même pour enfants. (Plusieurs jeunes m'ont avoué l'être devenu à la simple lecture d'*Echo des savanes,* dont ils avaient vu un éloge dans un journal chrétien). A Montréal, dans certains supermarchés on peut voir des ribambelles de jeunes homosexuels, qui n'hésitent pas à provoquer le passant : « Mais, c'est pour rien ! »... Tout s'y vend, sauf le péché ! Et maintenant, on ne sait quel prix payer pour enrayer le Sida !

L'*inceste* aussi tend à être « normalisé ». Là encore, campagne insidieuse de « promotion ». Sans nombre, les enfants et adolescents, garçons comme filles, traumatisés par des viols répétés de la part de leur parents, grands-parents, oncles ou tantes. Diagnostic d'un psychiâtre : « Il y a cinq ans, mes patientes n'en parlaient pas. Aujourd'hui, elles ont toutes été violées par leur père. Je me demande si c'est parce qu'elles osent le dire ou s'il s'agit d'un fantasme érotique à la mode ? » On ne dira jamais assez les ravages profonds, à tous les niveaux, causés par cette perversion, *destructrice* d'une personne, en sa personnalité même.

3

LES EFFETS «SECONDAIRES»
DES CONTRACEPTIFS HORMONAUX

Il est évident que l'ingestion presque chaque jour, pendant des années, de substances chimiques qui ont comme but de bloquer un processus aussi délicat et complexe que le processus hormonal féminin, ne peut pas être sans conséquences.

Les effets de la pilule

Une femme ne peut pas rester pendant des années, en état de grossesse artificielle de deux ou trois mois, sans que son état général s'en ressente. Certains des troubles que l'on constate seront transitoires, d'autres peuvent être irréversibles.

De façon générale, les effets nocifs induits par la pilule sont causés, d'une part par une stimulation anormale des récepteurs sensibles aux stéroïdes hormonaux [1], notamment le foie, la peau, le système neuro-végétatif, l'utérus, les seins ; d'autre part par l'interaction des hormones sur les grands métabolismes de l'organisme, tels que les métabolismes lipido-glucidiques, les facteurs de coagulation, la synthèse des vitamines, etc. Au

---

1. Groupes d'hormones ayant des caractéristiques comparables. Elles sont dérivées des stérols, substances organiques dont le cholestérol est un exemple.

total, c'est plus de cinquante effets métaboliques des contraceptifs oraux qui, à ce jour, ont été remarqués.

Plus précisément, si l'on examine attentivement les études les plus sérieuses sur la pilule, on retrouve dans toutes les enquêtes épidémiologiques les mêmes effets toxiques.

EFFETS SUR LE MÉTABOLISME LIPIDO-GLUCIDIQUE

Les œstrogènes augmentent le taux de cholestérol dans le sang, ainsi que le taux de lipides qui sont, comme on le sait, une autre sorte de graisses véhiculées par le sang.

Cette augmentation des graisses engendre des risques d'artériosclérose , c'est-à-dire par exemple, des infarctus du myocarde, des accidents vasculaires cérébraux pouvant provoquer une hémiplégie.

De même, dans 20 % des cas, la pilule perturbe les métabolismes glucidiques. Les estimations sur le risque diabétogène varient de 20 à 53 %.

EFFETS CARDIO-VASCULAIRES

Selon certains spécialistes, les risques d'accidents cardio-vasculaires, causés par l'augmentation des taux de graisse, mais aussi par la perturbation de la coagulation et l'augmentation de la tension sont la principale contre-indication à l'utilisation de la pilule.

Il s'agit de la formation de caillots à l'intérieur des vaisseaux (thrombose vasculaire), à l'intérieur des veines (phlébite ou thrombose veineuse), à l'intérieur des artères (thrombose artérielle), mais aussi d'hémorragies et d'embolies (cérébrales ou pulmonaires), sans compter les infarctus. De tous ces risques, les plus fréquents sont les thromboses, que ce soient celles du mésentère [2], des poumons, des membres inférieurs ou du système nerveux central. Ces accidents sont d'apparition brutale, précoce après le début de la contraception hormonale. Aux USA, on estime à un millier par an le nombre d'accidents thrombo-emboliques dûs à l'usage de la pilule.

Les risques de phlébite et d'embolie pulmonaire seraient multipliés par 10, d'embolie cérébrale par 9, d'infarctus du myocarde par 3 ou 4. En raison de la fragilité vasculaire interne, on a constaté une baisse de l'acuité auditive chez certaines femmes soumises aux hormones de synthèse. Des caillots peuvent aussi se former, quoique rarement, dans les vaisseaux sanguins de l'œil, provoquant la cécité ou une altération de la vue. Moins graves, mais plus fréquents sont les phénomènes d'intolérance aux verres de contact chez celles qui utilisent la contraception hormonale.

Ces risques préoccupent d'autant plus les spécialistes qu'ils ne sont pas toujours réversibles lorsqu'on cesse de prendre la pilule.

Le tabac est un facteur aggravant. L'élévation du risque est proportionnelle au nombre de cigarettes. La nicotine a une action sur le système neuro-végétatif qui renforce celle de la pilule. Elle augmente encore la tension artérielle en modifiant le rythme cardiaque et en perturbant la circulation périphérique.

Les risques d'accidents cardio-vasculaires mortels en cas d'association pilule-tabac sont de 250 % plus élevés.

Une fumeuse court quatre fois plus de risques de mourir d'un infarctus qu'une non fumeuse. Mais quinze fois davantage, si en plus, elle prend la pilule. Il y a renforcement du risque, synergie, quand pilule et tabac sont associés : le risque résultant de l'association pilule-tabac est plus élevé que l'addition du risque résultant de l'utilisation de la pilule seule et du risque résultant de la seule prise de tabac.

---

2. Il s'agit du tissu qui entoure l'intestin grêle. Il est parcouru par les vaisseaux et les nerfs de cet organe.

Ces chiffres sont d'autant plus inquiétants, que toutes les enquêtes montrent qu'il y a plus de fumeuses parmi celles qui utilisent la pilule, que parmi celles qui ne la prennent pas. En Angleterre, 12 % des femmes qui prennent la pilule fument plus d'un paquet par jour. De plus en plus, des médecins contre-indiquent la pilule en cas de tabagisme.

L'âge est un autre facteur aggravant. Le nombre d'accidents cardio-vasculaires causés par la pilule est dix fois plus élevé pour les femmes de 35 à 44 ans que pour les femmes de moins de 35 ans. 12 % des femmes de plus de 40 ans qui prennent la pilule font de l'hypertension.

Dans le groupe 30-39 ans, l'occlusion coronaire se manifeste chez 5,4 % des femmes qui utilisent les hormones chimiques. Le taux est porté à 54,7 % chez celles qui ont entre 40 et 44 ans !

Rien d'étonnant qu'une brochure ait été éditée par la « *Food and drug administration* » (FDA) aux Etats-Unis, pour conseiller aux femmes de renoncer aux contraceptifs oraux après 35 ans.

EFFETS SUR LE FOIE

Les hormones de la pilule ne sont pas naturelles. Administrées par voie orale, elles abordent le foie par la veine porte avec des concentrations très élevées au lieu de l'aborder, comme il est normal, par l'artère hépathique avec de faibles concentrations plus étalées dans le temps. Ce n'est pas sans effet sur cet organe. En effet, la nature assigne à celui-ci comme aux reins, un rôle de désintoxication. C'est à eux qu'il revient de détruire entre autres, les hormones. L'activité du foie se trouve considérablement perturbée. Certains auteurs mettent en cause spécialement les œstrogènes. En France, par prudence, de nombreux gastro-entérologues réclament une surveillance annuelle du foie chez celles qui prennent la pilule.

Les risques induits par la pilule sont suffisants pour qu'en

Allemagne on considère que les maladies du foie les plus fréquentes ne sont plus l'hépatite virale, mais proviennent de l'usage inconsidéré de médicaments, parmi lesquels viennent, au tout premier rang, les contraceptifs. Les maladies les plus fréquentes favorisées par la pilule sont la jaunisse, des calculs, des lésions vasculaires et des tumeurs, le plus souvent bénignes, généralement situées dans le lobe droit. Le risque d'adénomes hépatocellulaires, selon certains spécialistes serait neuf fois plus grand pour celles qui utilisent la pilule depuis moins de 4 ans ; mais cent vingt fois supérieur de 4 à 7 ans et cinq cents fois plus grand après 7 ans d'utilisation.

EFFETS SUR LA PEAU

Il s'agit de l'apparition de taches brunâtres sur le visage, équivalentes en quelque sorte au « masque de grossesse », et aggravées par le soleil et la carence en vitamine B. Il est très probable qu'elles sont provoquées par les progestatifs. L'acné qui était provoquée par les toutes premières pilules fortement dosées, semble moins fréquente aujourd'hui. Mais la chute des cheveux d'une part, et l'hyperpilosité d'autre part, sont toujours à mettre au compte des pilules à dominante progestative. Cette chute des cheveux est due à une hyperséborrhée. On sait que ce phénomène tend à se manifeter en début de grossesse. D'après certains chercheurs, ces troubles seraient d'autant plus fréquents que les femmes sont plus minces.

EFFETS NEURO-PSYCHIQUES

En ce qui concerne les troubles mentaux et les perturbations caractérielles, les statistiques sont discutées. Les uns disent 10 à 15 % des cas, les autres 30 %, les plus pessimistes 50 %, ce qui, de fait, est un pourcentage très important. Les écarts proviennent, en réalité, de la difficulté en ce domaine d'isoler un facteur.

D'ailleurs, ces troubles ne proviennent-ils pas plutôt de troubles physiologiques ou psychologiques comme le sentiment de culpabilité, d'insécurité affective? Il est bien difficile de se prononcer. La pilule peut aussi jouer un rôle révélateur. Pour les Anglais, les dépressions seraient augmentées de 30 % et les suicides sont plus élevés parmi les femmes «sous pilule». Ce qui est certain, c'est que la progestérone a des propriétés sédatives. Beaucoup de femmes constatent que dans la seconde partie de leur cycle dominée par cette hormone, elles sont «moins en train», «moins gaies». Avec la pilule, c'est le climat des jours précédant les règles qui est étendu à toute l'année.

En France, on a noté, à partir d'une enquête sur plus de 2 000 femmes, qu'il y avait une altération de la libido dans 35 à 50 % des cas. Celles qui se plaignent d'une désaffection sexuelle sont, d'après les statistiques, quatre fois plus nombreuses parmi celles qui prennent la pilule que parmi celles qui ne la prennent pas.

EFFETS GYNÉCOLOGIQUES

La paroi de l'utérus, surchargée de progestatifs, s'atrophie. Par ailleurs la glaire disparaît. Ceci majore les risques d'infections, de mycoses. La perturbation du pH entraîne une moindre résistance aux maladies vénériennes [3]. D'après les Anglais, le taux global de troubles génito-urinaires est de 80 % plus élevé. Les kystes sont plus fréquents. En ce qui concerne le cancer de l'utérus, les avis sont partagés. Aux Etats-Unis, on a retiré de la circulation les pilules dites «séquentielles» pour cette raison. Il est certain que la paroi interne de l'utérus est une zone de prolifération cellulaire très rapide directement

---

3. pH: cœfficient qui caractérise l'acidité ou la basicité d'un milieu. Il joue un rôle essentiel en physiologie.

commandée par les hormones. D'autre part, on sait que le cancer de l'endomètre se produit très souvent sur un terrain d'hyperœstrogénie. La « *Food and drug administration* » a imposé aux fabricants américains de signaler sur les notices d'emploi de contraceptifs que l'usage de la pilule peut être associé à une augmentation du risque de cancer. Cette décision est intervenue après sept enquêtes portant sur 40 000 femmes.

Pour ce qui est du cancer du sein, dont on sait qu'il est souvent lié à des problèmes hormonaux, les résultats statistiques, à l'heure actuelle, ne sont toutefois pas significatifs : 4,6 % au lieu de 3,1 %.

EFFETS GÉNÉTIQUES

En 1967, au Canada, un chercheur a découvert six anomalies chromosomiques sur huit fœtus recueillis après avortement chez des utilisatrices de pilule. A partir de là, des études plus complètes ont été développées. Elles ne permettent pas encore de conclure de façon complètement positive. Une enquête israélienne établirait que les risques de trisomie 21, de mongolisme, sont doublés dans la descendance des femmes de 30-35 ans ayant pris la pilule. De nombreux chercheurs, en l'absence de statistiques encore probantes, s'accordent pour estimer que le blocage de l'ovulation, en préservant artificiellement le stock d'ovocytes, « contient la possibilité théorique de favoriser des anomalies chromosomiques ». De plus, on ignore à peu près tout de la façon dont la nature sélectionne chaque mois dans les milliers de cellules contenues à l'intérieur de l'ovaire, l'un plutôt que l'autre. A ce niveau, en bloquant l'ovulation, à très exactement parler, on ne sait pas ce que l'on fait.

Par contre, on sait beaucoup plus précisément les méfaits de la pilule sur l'enfant d'une femme déjà enceinte sans le savoir. Aux USA, une étude a révélé deux à trois fois plus de malformations, notamment génitales, sur des enfants dont la mère avait pris, déjà enceinte, des contraceptifs hormonaux.

Tous, ou presque tous les spécialistes s'accordent pour recommander d'éviter une grossesse pendant plusieurs mois après l'arrêt de l'utilisation de la pilule. Sur 350 jeunes femmes de 17 à 29 ans atteintes d'une forme exceptionnelle de cancer du vagin ou du col (l'adénocarcinome à cellules claires), les mères des deux tiers d'entre elles avaient pris une espèce d'œstrogène (le diéthylstilboestrol, DES) pendant qu'elles les attendaient, traitement dû à une menace de fausse couche. On ne s'est aperçu de la possibilité de l'effet nocif de ce traitement qu'une génération après. Il faut donc être prudent dans le traitement des hormones.

EFFETS SUR LA FÉCONDITÉ

a) le cas des adultes

D'après les études les plus récentes, chez une femme sur trois, les règles ne reviennent pas, comme l'on dit, avant six mois ou plus. La plupart de ces aménorrhées disparaissent après un traitement. Ces problèmes surviennent surtout chez celles dont le processus hormonal n'était pas régulier, et spécialement dans ce dernier cas, un certain nombre se révèlent définitives. Chaque année, un certain nombre de femmes sont ainsi condamnées à la stérilité.

b) le cas des adolescentes

Ici, il faut dire le drame qui consiste à administrer à de jeunes mineures la pilule. En période pubertaire, les effets des hormones de synthèse sont catastrophiques. Il faut, en effet, savoir que pour une jeune fille, la période pubertaire s'étend en moyenne sur cinq ans. Il s'écoule très rarement moins de deux ans entre le moment des premières règles et l'âge où la petite fille devient capable de porter en elle un bébé. L'édifice neuro-endocrinien, les interactions hormonales entre l'hypothalamus et l'hypophyse et les organes ordonnés à la génération sont sans doute, pour qui les connaît et sait les contempler, parmi l'un des mécanismes les plus merveilleusement complexes de la vie. Mais leur très grande complexité les rend extrêmement fragiles. C'est en balbutiant pendant plusieurs années que s'installe dans l'organisme d'une très jeune fille tout le processus ovarien. Par l'hypothalamus et l'hypophyse, ce sont tous les grands métabolismes physiologiques, mais aussi la vie psychologique, affective et même spirituelle qui retentissent sur son développement.

Indépendamment des troubles que peut occasionner une vie sexuelle trop précoce, l'administration massive d'œstroprogestatifs va venir démolir pour des années, voire définitivement, la mise en place des fonctions les plus spécifiques de la féminité.

Plus grave encore, on sait, et ceux qui les administrent à des fillettes de 15 ans, savent que la sécrétion d'œstrogènes et d'androgènes limite la possiblté de croissance de l'adolescente. On sait que prise trop tôt, la pilule va stopper le développement de la très jeune fille et que, peut-être, elle ne sera jamais une femme. La fameuse loi du 4 décembre 1974, dont les décrets d'application se sont échelonnés jusqu'en 1977, en instaurant ainsi la distribution libre et gratuite de la pilule aux mineures, a pris le risque d'installer, en France, des milliers de stérilités primaires irréversibles [4].

A Washington, au cours d'une entrevue, un gynécologue nous disait avoir reçu, en consultation, de jeunes mariés qui se désolaient. Ils ne pouvaient avoir d'enfant. Après examen, le médecin constata facilement que la jeune épouse n'était quasiment pas formée, comme femme. Elle avait à 25 ans, conservé un corps de petite fille de 13 ans. La prise prématurée de contraceptifs avait pratiquement bloqué la croissance de tous les caractères sexuels primaires et secondaires. Selon ce médecin, ces accidents sont de plus en plus fréquents. La stérilité irréversible en est la conséquence, sans compter les blocages affectifs, psychologiques. «A proprement parler, on fabrique chimiquement des femmes-enfants», nous disait-il.

---

4. Autre effet secondaire passé sous silence : la pilule «oestroprogestative» peut produire une poussée «d'hirsutisme» : un fin duvet sur le visage, petit signe de masculinisation, humiliante pour la fille.

De soi-disant progrès

Tous ces effets secondaires, plus ou moins admis, entraînent une série de contre-indications pour raisons de santé. D'après ce qui précède, on comprendra aisément que ceux qui souffrent de problèmes cardiovasculaires, de tumeurs, d'hypertension, de diabète, ou seulement de nervosité, ne puissent prendre la pilule sans risques graves ; de même la prise des hormones de synthèse est-elle risquée en cas de tabagisme, de cycle précédent irrégulier, de problème dermatologique ou seulement de maux de tête.

Enfin, il faut se méfier des interactions médicamenteuses, spécialement avec les calmants ou les barbituriques.

D'un point de vue médical, la pilule crée un risque grave. Certains diront qu'un interrogatoire précis, un bilan de santé complet et une vraie surveillance médicale devraient permettre de diminuer les risques. Sans doute, mais la réalité, c'est que trop de médecins font une ordonnance sans examen préalable suffisant, c'est-à-dire *complet,* en France comme à l'étranger.

D'autres affirment que selon les pilules, le risque varie. Les pilules mini-dosées de la deuxième génération seraient moins dangereuses ; on a dit la même chose de la pilule qui ne contiendrait que des progestatifs, la micro-pilule.

En réalité, par des « nouveautés », on a essayé d'échapper aux mises en garde d'organismes tels que, notamment, la « *Food and drug administration* » (FDA), l'« *American medical association* » (AMA) aux USA, et en Angleterre par le « *Royal college of general practitioners* »(RCGP).

Ces arguments, comme le confirment les études plus récentes, ne tiennent pas devant les faits, pour des raisons d'ailleurs fort simples pour qui veut y réfléchir un tant soit peu.

Tout d'abord, le fait que les pilules soient dosées à 0.03 mg ou à 0.05 mg a finalement assez peu d'incidence quand la dose est administrée chaque jour. On parle de mini-doses, mais on oublie l'effet cumulatif. Ces mini-doses sont à multiplier par des centaines, voire des milliers de prises...

De plus, il ne semble pas que la toxicité soit proportionnelle à la quantité des composants. Le blocage de l'ovulation est dangereux en soi. Dans la mesure où une pilule mini-dosée y parvient aussi bien qu'une pilule classique, celle-ci sera aussi nocive. Quelle que soit la dose d'hormones de synthèse ou l'équilibre du dosage, ce qui est nuisible, c'est de bloquer le processus hormonal et de maintenir pendant plusieurs années une femme dans un état physiologique de grossesse de deux ou trois mois. La toxicité de la pilule est indirecte.

Enfin, en ce qui concerne la micro-pilule, ses propagandistes se félicitent que, ne contenant que des progestatifs, elle n'empêche pas l'ovulation, mais qu'elle interdise la remontée des spermatozoïdes en rendant la glaire inféconde, puis empêche la nidation. Ils espèrent éliminer, par ailleurs, les effets négatifs de taux élevés d'œstrogènes.

A cela, les spécialistes objectent qu'en toute vérité, en raison des phénomènes complexes de réponses (feedback) aux stimulations hormonales, l'administration de progestatifs seule, en doses continues, a pour effet, dans un cas sur deux, de faire croître un follicule sans qu'il y ait pour autant ovulation. La maturation du follicule libère des œstrogènes, mais l'absence d'ovulation empêche la sécrétion compensatoire de progestérone. Paradoxalement, on se retrouve dans une situation d'hyper-œstrogénie, situation que l'on avait voulu éviter en n'administrant que de la progestérone de synthèse..

Puis, il faut ajouter que cette pilule, d'après des études récentes, a pour propriété d'élever le nombre de grossesses extra-utérines. De plus, son efficacité est moindre que celle de la pilule « classique ».

Enfin et surtout, avec elle, on sort du strict domaine contraceptif, pour entrer comme avec la « pilule du lendemain » dans celui du véritable avortement.

Le processus de l'ovulation est trop complexe et le rythme de la fécondité trop intimement lié à la finalité de la personne, qui est de se donner, pour qu'on puisse échapper à des conséquences désastreuses dès lors que volontairement on introduit un désordre dans une fonction si parfaitement ordonnée au don de vie. On détruit un ordre et un équilibre, et l'on voudrait que ne s'ensuivent ni désordre, ni déséquilibre !

Comme aime à nous le répéter le docteur Ratner : « Dieu pardonne toujours ; l'homme quelquefois ; la nature, elle, ne pardonne jamais. »

Isabelle et Thierry Boutet.
Je t'aime, Editions l'Escalade, pp. 238-252.

Effets secondaires du stérilet et du Depo-Provera

Dans un contexte éthique, les problèmes de l'emploi du *stérilet* doivent être affrontés honnêtement. Les problèmes « moindres » sont les *maladies pelviennes inflammatoires* (MPI) qui, cependant, entraînent des troubles ultérieurs de la santé. Plus sérieux serait, selon le rapport du *Journal of Reproductive Medicine* de mai 1983, le fait que *49 % des femmes* qui utilisent le stérilet souffrent de *salpingite* (inflammation des trompes de Fallope) alors qu'1 % seulement des femmes qui n'utilisent pas le stérilet doivent faire face à ce problème. Et jusqu'à *People,* le magazine de la FIPF qui, dans le VOL. 13, n° 1 de 1986, cite une étude de Snowden (*British Medical Journal,* 26 mai 1984) démontrant que l'infection pelvienne est présente chez les usagers du stérilet, mais qu'aucun modèle de stérilet n'est meilleur ou pire qu'un autre. Cependant, cette information n'a pas empêché la FIPF de continuer à promouvoir l'usage du stérilet sur échelle mondiale. Si le stérilet ne constitue pas une méthode contraceptive saine, il ne peut, en termes personnalisés, être appelé méthode « efficace » de contraception.

Le *Depo-Provera* continue à soulever des ressentiments dans le Tiers Monde. Ce contraceptif injectable ne peut être employé par les femmes aux Etats-Unis, mais continue de l'être dans le Tiers Monde. Pourquoi ? Il ne peut y avoir d'inégalité d'aucune sorte sur le plan éthique entre le Premier et le Tiers Monde. lorsqu'il s'agit d'employer le *Depo-Provero*, d'autres substances, ou bien les stérilets. Il n'y a qu'un seul principe de santé corporelle et le droit existe à être informé, afin de pouvoir conserver ou protéger sa santé. Pour ce qui est des substances telles que le *Depo-Provera,* y compris le *Triphasil* en Afrique du Sud, des informations détaillées doivent être honnêtement diffusées sur les effets collatéraux des divers types de pilules. » Communication du saint-Siège à la XXIIe conférence du Conseil des Organ. Intern. des sciences médicales (CLOMS) à Bangkok, les 19 et 24 juin 88 (DC 18.09.88).

FLASHES SUR
LA VIE DE L'ENFANT
IN SINU

A. Cet invité qui attend d'être écouté

— « Vers la troisième semaine, l'enfant qui se prépare atteint à peine la taille d'un grain de blé. Il n'a pas forme humaine, mais ses contours se précisent. Soudain, certaines cellules se mettent à pulser. Elles pulsent comme des horloges. D'abord chacune séparément. Puis toutes ensemble, au même rythme : inlassablement. Elles sont réparties en couronne, sur un long tube, une ébauche de vaisseau. Mais bientôt, cette couronne enfle, elle devient une petite boule. Et cette poche se contracte, elle se contracte encore : pour la première fois, un cœur bat. » (p 47)

— « Trois semaines seulement ont passé, et une forme humaine éclot *comme une fleur*. Molécules après molécules, un corps se sculpte dans la matière, des tissus s'organisent. Et, un jour, *un visage* sort de nulle part : un visage humain. Un nez, une bouche, des yeux qui attendent de s'ouvrir. C'est cela le miracle : en l'espace de trois mois seulement. Trois mois décisifs qui édifient un homme, une femme.

Mais ce n'est pas n'importe quel être humain qui se dessine. Il est déjà *seul en son genre*. Doué d'une individualité propre.

Certaines mères tiennent leur bébé pour « la chair de leur chair » comme une sorte d'excroissance sur laquelle elles auraient droit de vie ou de mort.

Or, ces cellules, ces chromosomes portent la marque d'un individu distinct. L'enfant, dans le corps de sa mère, n'est qu'*invité*. Et qui appelle à être tenu pour un hôte respecté. » (p 49)

— « Dès le second mois, (où l'embryon a quatre cm), il tourne la tête ou dresse un bras : l'enfant a fait son premier mouvement. » (p. 63) Entre le 4e et le 5e mois, l'épiderme porte déjà la marque des empreintes digitales. Avant même le 6e, il suce son pouce.

— « Au 7e mois, les sons stimulent la zone auditive. Le fœtus isole les sons inhabituels du bruit de fond. Sans pouvoir les associer à quoi que ce soit. Ni les comprendre. Ils sont enregistrés pour la vie entière de l'enfant. On pourrait presque dire que ces premières informations feront désormais partie de la trame même du système nerveux. » (p. 74)

— « Tout le système nerveux enregistre les données du milieu maternel, et parfois répond. » (p.74)

— « Un être vivant est là qui possède une certaine expérience prénatale. Et celle-ci laisse *une empreinte indélébile* sur laquelle se graveront toutes les impressions ultérieures. Bien plus : elle constitue les premières bases du devenir psychique de l'enfant. » (p. 75)

Claude Edelmann, *Les premiers jours de la vie*
(France-Documentation)

B. Car il nous écoute et déjà se souvient

— « Nous sommes peut-être incapables de percevoir des choses que lui (le fœtus) perçoit. ...Notre oreille se serait tassée... Pas l'oreille seulement : tous les sens en réalité, et tous les instincts peut-être, nos capacités de perception. » (p. 12)

— « Pour ces chercheurs, il ne fait aucun doute que non seulement son oreille entend, mais que *lui nous écoute.* (p. 13) La vie est déjà pour lui un jeu d'ombres sonores et visuelles. Il a conscience qu'il se passe des choses dans un ailleurs dont il ne connaît pas encore les règles. » (p. 13-14)

— « Laboratoire d'audition prénatale : une jeune femme enceinte d'environ six mois est allongée. A côté d'elle, un écran écographique sur lequel apparaît déjà l'image d'un fœtus au petit corps bien formé. On entend les célèbres accords de la cinquième symphonie de Beethoven. Sur l'écran, dès les premières mesures, on voit le petit corps sauter littéralement dans la poche amniotique. Chaque attaque musicale provoque une nouvelle réaction... (dans l'utérus) seules quelques notes identifiables émergent. C'est tout ce que le fœtus entend. Pourtant, une fois né, il n'est pas impossible qu'il manifeste par son comportement, à l'audition de cette musique, peut-être en s'immobilisant un bref instant, qu'il la reconnaît. » (p.15)

— « Puisqu'il est capable de percevoir, puisque des sons l'atteignent, est-ce que cela s'inscrit d'une manière ou d'une autre dans son cerveau ? Plusieurs expérimentations concordantes ont permis de montrer qu'il pouvait y avoir une sorte de *souvenir prénatal.* ». (p. 17)

— Au cours d'une expérience, il a été prouvé que les nourrissons « s'arrangeaient de manière à réentendre la phrase déjà entendue pendant la vie fœtale, qui faisait donc, par conséquent, déjà partie de leur univers. » (p. 18)

— « Pour Frans Veldman, promoteur d'une science nouvelle, *l'haptonomie,* au début de la vie, il y a le tact, *le toucher.* Mais pas le toucher médical, pas la palpation objective du corps de l'autre : un toucher d'une qualité particulière dans lequel nous mettons toute notre affectivité, qui transforme le corps de la mère. Un toucher auquel l'enfant répond... » (p. 57)

— « Tout le comportement instinctif qui est à l'origine de l'être humain est une attitude de base qui se développe aussi dans le giron. Quand un bébé est tendu, contracté, ignoré par la mère pendant la période de grossesse, il n'y a pas tout ce contact intérieur affectif et dans ce cas, le développement de l'attachement est bloqué. Quand on entre maintenant, comme j'invite les parents à le faire, dans un contact affectif auquel le bébé répond, dans lequel il entre en effectuant des mouvements intra-utérins, il se sent sécurisé. Il sent qu'il est accepté par ses parents, c'est la première confirmation affective, très tôt, de son être, de son existence, et en ce cas se développent les sentiments d'attachement. La relation affective commence donc bien avant la naissance. » (p. 67) Dr Veldman.

— « Oui, quand une femme enceinte ne veut pas accepter son enfant pour quelque raison que ce soit, quand elle ne veut pas ouvrir son cœur à l'enfant, je peux l'aider. J'ai eu chez moi dez femmes qui étaient dans cette situation, qui se proposaient d'avorter, mais lorsqu'elles ont eu l'occasion après avoir été sécurisées elles-mêmes de ressentir leur bébé dans leur ventre comme je les invite à le faire, alors il n'est plus question d'avortement.

— Ce toucher provoque un tel changement ?

— Tout de suite, de manière étonnante. Dès qu'elles ont senti le bébé de cette manière, elles acceptent le bébé ; on pourrait dire là que le bébé leur entre dans le cœur pour ne plus en sortir. » (p. 67-68) Dr Veldman.

— « Si je travaille avec la mère, pendant la grossesse, si je lui donne à penser que ses mouvements sont importants, et à comprendre que le bébé réagit à la lumière ou au son, et qu'il change d'état avec elle -lorsqu'elle se couche le soir, il *s'agite,* lorsqu'elle s'active, il se repose, et si elle comprend que le bébé et elle commencent à *se lier comme des êtres humains* - alors tout change pour le bébé encore dans l'utérus. » (p. 141) Dr Brazelton.

— « Pourquoi voulez-vous qu'un enfant trisomique ne soit pas pourvu d'une sensibilité et d'une aptitude relationnelle ? L'enfant est une personne, l'enfant trisomique aussi est une personne. Et les gens qui pensent bien faire en incitant les parents éventuellement à l'abandon, se trompent parce que le bilan de toute cette histoire-là, est dramatique : parce qu'il y a, d'un côté, un enfant abandonné, éventuellement adoptable, mais, de l'autre côté, il y a un couple qui va devoir vivre, et vivre quoi ?... On ne sait pas ces choses-là. » Dr Titran (cité p. 205).

— « Il se pourrait que ce fœtus chez qui l'on découvre de telles aptitudes à se souvenir, en fait, n'oublie jamais rien. Son corps, à défaut de son esprit, garderait tout en mémoire. » (p. 19)

— « Il n'y a pas de matière sans mémoire. Tout est mémoire dans la nature. Le spermatozoïde, c'est déjà de la matière, c'est déjà la vie avant la vie. Basé sur sa sensorialité, il semblerait que le corps emmagasine tout ce qui a été vécu depuis l'état cellulaire. Et en fonction des situations, certains événements peuvent être éprouvés ou rééprouvés, quelquefois beaucoup plus tard, traduits par le dessin ou le mouvement avec un réalisme interne absolument sidérant. » V. et O. Marc (p 25).

Extraits de Bernard Martino,
Le bébé est une personne
Editions J'ai Lu
Ecrit à la suite de trois émissions sur TF 1
suivies par trois millions de personnes.

5

QUELQUES GROUPEMENTS
MILITANT POUR LA VIE

JEUNES POUR LA VIE
7 rue de Villebois Mareuil
75017 PARIS (ou B.P. 168-75826 Paris Cx 17)

JEUNES POUR LA VIE-NATIONAL (Belgique)
9A rue Potagère
B 1030 BRUXELLES
Tel. 02/219 07 51

CENTRE INTERNATIONAL POUR LA VIE
24 rue du Bourg
65100 LOURDES
Tel 62 94 58 58
Ce centre a besoin de bénévoles pour les permanences d'été.

COMITÉ POUR SAUVER L'ENFANT A NAÎTRE
B.P.5
94121 FONTENAY SOUS BOIS CEDEX

A.N.P.F.E.C. (pour diffuser la méthode Billings)
55 rue de Port Royal
78470 SAINT REMY LES CHEVREUSES

A.M.A.D.E. (Association mondiale des Amis de l'enfance,
Monaco)
Section Française :
8 boulevard de la Madeleine
75009 PARIS
Tel : 47 42 35 63

MÈRE DE MISÉRICORDE
81170 CORDES
Tel: 63 56 12 92
2 rue de Zurich
92500 RUEIL-MALMAISON
Tel: (1) 47 52 17 77

«MAGNIFICAT»
11 avenue Victor Hugo
95600 EAUBONNE
Tel: 34 16 04 53 (Association 1901 - Côté plus politique)

S.O.S. FUTURES MÈRES
B.P. 5
07103 ANNONAY

A.O.C.P.A.
B.P. 33
92502 RUEIL MALMAISON

ASSOCIATION CATHOLIQUE DES INFIRMIERS ET
MÉDECINS (A.C.I.M.)
8 rue Armengaud
92210 SAINT CLOUD

GROSSESSE SECOURS
51 rue Jeanne d'Arc
75113 PARIS
Tel 45 84 55 91
2, rue du Président Carnot
38000 GRENOBLE
Tel: 76 44 27 27

FOYER NOTRE DAME DES PAUVRES
BOURROU
24100 ASTIER
Tel: 53 81 93 92

LE SOUFFLE DE VIE (Pour aider parents et familles attendant un enfant handicapé)
Micheline et Jacques PHILIPPE
rue Jules Lahaye, 61
1090 BRUXELLES
Tel : 02426 15 41

SECOURS AUX FUTURES MÈRES
Président : Prof. Lejeune
109 rue Defrance
94300 VINCENNES

MINI-BIBLIOGRAPHIE

Voici quelques livres, entre bien d'autres, qui pourront t'aider, si tu le désires, à approfondir ce qui a été amorcé :

- JEAN-PAUL II, À L'IMAGE DE DIEU, HOMME ET FEMME, Cerf 1981.
- AU COEUR DE L'AMOUR par *M. D. Philippe*
  Editions Fayard 1987.
  Remarquable synthèse par un grand théologien, sous forme d'interview par des jeunes.
- LE MARIAGE, MYSTÈRE TRINITAIRE par *Alex et Maud Lauriot Prévost*
  Editions Le Sarment-Fayard
  Un jeune couple partage ses réflexions, fruit de leur prière, expérience et études. Toute une théologie du mariage profondément enracinée dans la Bible, la tradition orientale et l'enseignement de Jean-Paul II.
- UNE SEULE CHAIR par le *Père Michel Laroche*
  Collection Racines, Editions Nouvelle Cité
  Sans doute un des meilleurs ouvrages de spiritualité conjugale alliant profondeur et simplicité : une excellente introduction à une authentique vie spirituelle du couple.
- PRENDS CHEZ TOI MARIE TON ÉPOUSE, *Père Henri Caffarel*
  Editions du Feu Nouveau
  Sur les pas de la sainte famille et de la parole de Dieu qui se repère à sa vie, une approche spirituelle et scripturaire du mystère du mariage chrétien à travers l'exemple de Joseph et de Marie.
- L'AMOUR HUMAIN ET LE MARIAGE.
  II. VIE ET PROCRÉATION. Par *Frère Stephane-Marie* Editions Droguet-Ardant.
- UNION ET PROCRÉATION par Alain Mattheeuws s.j.
  Editions du Cerf, 89. Commentaire technique et théologique des documents du magistère.

- LA GRACE D'ÊTRE FEMME, par *Georgette Blaquière*
  Editions Saint Paul
  Une approche renouvelée du mystère de la femme et de ses
  charismes à travers le témoignage et la réflexion d'une
  femme pour qui le Christ à travers les évangiles révèle sa
  vocation et sa mission au cœur du monde et de l'église.
- LA FAMILLE CHRÉTIENNE
  Le Sarment, Fayard.
  Adaptation au langage courant, et commentaire illustré du
  beau document de Rome : *Familiaris consortio.*
- HOMME ET FEMME IL LES CRÉA, par *Jean Vanier*
  Editions Fleurus. Réflexions nourries de la longue expé-
  rience de Jean au service des plus pauvres.
- AMOUR ET FÉCONDITÉ, par *R. et M. Sentis*
  Editions Fayard
  Remarquable présentation de la Méthode de Régulation
  naturelle de la fécondité, suivant le Dr. Billings.
- FIORETTIS DE MÈRE DE MISÉRICORDE,
  Editions Lion de Juda
  Recueil de témoignages de femmes ayant finalement refusé
  l'avortement.

Sur la vie de l'enfant avant sa naissance :

- LE BÉBÉ EST UNE PERSONNE de *Bernard Martino*
  Editions J'ai Lu.
- LA VIE SECRÈTE DE L'ENFANT AVANT SA NAIS-
  SANCE , de *Thomas Verny et John Kelly*
  Editions Grasset 1982
- LES PREMIERS JOURS DE LA VIE, de *Claude Edelmann*
  Editions France-Documentation.

Sur les manipulations génétiques :

- L'ENFANT À TOUT PRIX, de *Geneviève de Perceval*
  Editions du Seuil, Collection le Point

Et l'excellente vulgarisation :

- DONNER LA VIE A TOUT PRIX, Revue MISSI- Numéro
  janvier 1988.
- ACTES DU 9e CONGRÈS INTERNATIONAL DE LA
  FAMILLE, (Fayard 1987) Une mine !

TABLE DES MATIÈRES

Si tu as aimé ce livre ; si tu as des
précisions à demander, des sugges-
tions à faire ; surtout, si tu as un
témoignage à apporter ; n'hésite pas
à écrire à l'adresse suivante :

B.P. 29 81260 - BRASSAC

tu peux aussi dialoguer par minitel
(anonymement si tu le veux)
avec DANIEL-ANGE :

3615 Code EPHATA

TÉMOIGNAGES REÇUS
Quatrième édition

«En parcourant la librairie de la Pierre-qui-Vire, je suis tombé sur votre livre. Moi qui hésite souvent avant de faire un achat qui sort de l'ordinaire, je l'ai tout de suite emporté. Eh bien j'y vois là un signe de Dieu. Oui, moi qui n'ai jamais voulu voir un seul de ses signes, j'ai senti que Dieu m'avait pris par la main. Et je rends grâce au Seigneur de ce qu'Il a fait pour moi à cet instant.

Votre œuvre est simplement belle. Vous parlez des «choses» de la vie avec tant de vérité et de simplicité que vous m'avez mieux fait sentir l'amour de Dieu pour les hommes.

Merci, *merci d'avoir réhabilité la pureté de l'amour* entre un homme et une femme, la pureté de la sexualité, merci d'avoir *réhabilité la vie.* »

«Ton Livre: un véritable hymne à la vie».

AUX ÉDITIONS

DU SARMENT - FAYARD

COLLECTION **LUMIÈRE**

Dans la série **Jeunesse Lumière**
(Témoignages de jeunes d'aujourd'hui)

Dans la série **Lumière Vérité**
(Connaître le contenu de la foi chrétienne)

Dans la série **Témoins de la lumière**
(Rencontrer des jeunes «saints» de notre temps)

Dans la série **Frères de Lumière**
(Connaître les communautés qui font l'Église)

Dans la série **Paroles de Lumière**
(Écouter un maître spirituel)

L'amour me connaît, les écrits spirituels de Marcel Van, Marie-Michel

L'enfant de l'aurore, correspondance de Marcel Van, Marie-Michel

L'Évangile vécu au désert, Lucien Regnault

Ta prière... un secret d'amour, Jean-Marc Bot

Avec Marie, au pas de l'Esprit, Louis Sankalé

Sur le chemin de l'espérance,
  François-Xavier Nguyen van Thuan

Dans la série **Serviteurs de la Lumière**
(Au service de l'Église)

Servir la messe, Denis Metzinger

GUIDES PRATIQUES **TOTUS**

Travailler avec méthode, c'est réussir, Dr Pascal Ide
Les défis du jeune couple, Jacques Gauthier

*

COLLECTION **CE QUE DIT LE PAPE**

Par les moines de Solesmes,
sous la direction de Lucien Regnault

1 — Marie Mère de l'Eglise
2 — Aux jeunes d'aujourd'hui
3 — Le baptême
4 — Vocations dans l'Eglise
5 — Dans la joie du Christ
6 — Les droits de l'homme
7 — Se préparer au mariage
8 — L'Europe de demain
9 — Souffrir avec le Christ
10 — Le sacrement du pardon
11 — L'euthanasie
12 — Le Cœur de Jésus
13 — Sur la paix et la guerre
14 — L'école catholique
15 — De la sexualité à l'amour
16 — Diacres de Jésus-Christ

Le service Minitel 3615 Ephata propose :
- une possibilité de dialogue
- une information religieuse quotidienne
- un soutien de prière entre frères

c'est aussi

UN MISSEL EN 3 VOLUMES

réunissant les textes liturgiques de la semaine et du dimanche, enrichi de prières quotidiennes, de méditations, etc.

Un livre indispensable au chrétien d'aujourd'hui.